L'ÉTAT ROYAL

DE LOUIS XI À HENRI IV
1460-1610

Édition : Françoise Cibiel-Lavalle

Iconographie : Christine de Coninck et Anne Mensior (Clam)

Direction artistique et maquette : Bernard Père

Cartographie et généalogies : Nancy François et Claude Dubut (AFDEC)
avec le conseil de Pierre Lamaison

Correction-révision et index : Brigitte de la Broise

Conception et établissement des généalogies et des cartes :
Pierre Lamaison

EMMANUEL LE ROY LADURIE

L'ÉTAT ROYAL

DE LOUIS XI À HENRI IV
1460-1610

HISTOIRE DE FRANCE HACHETTE

L e présent volume de cette série sur la France, et le suivant *L'Ancien Régime, de Louis XIII à Louis XV (1610-1774)* traitent de la période dite « moderne » de notre passé, autrement dit post-médiévale, et pré-contemporaine. Ces ouvrages définissent, à eux deux, une longue époque : elle commence avec la mort de Charles VII (1461), celle-ci mettant le point final, *post festum*, aux gigantesques crises des guerres de Cent Ans (l'adjectif pour une fois n'est pas trop fort). La même époque « moderne » sera close, vers l'aval, par le trépas de Louis XV (1774). Au-delà de cette fin de règne va commencer en effet, sous les auspices du malheureux Louis XVI, une « Révolution française » fort allongée, que François Furet mènera de Turgot à Gambetta (de 1775 à 1880 environ). L'unité des trois grands siècles qui nous sont dévolus (1461-1774) leur vient des remarquables permanences d'une royauté qui désormais se sent assez sûre d'elle-même (malgré les provisoires secousses qu'occasionne la Ligue anticapétienne, autour de 1590). Ainsi s'impose la « monarchie classique », sur laquelle on trouvera, ci-après, un exposé d'ensemble, et d'ordre préjudiciel, pour les années qui d'un seul souffle vont de Louis XI à Louis XV.

C et exposé préalable va former « porche » par rapport au présent tome et au suivant, dans leur homogénéité triséculaire. D'où l'inévitable reprise de certains thèmes, vus cependant à chaque fois sous l'angle d'une chronologie différente : on les rencontrera pleinement développés dans la présente introduction. On les retrouvera ensuite, et presque immédiatement, dans le chapitre ultérieur de portée démographique, économique et sociale, intitulé « Une Renaissance » (*infra* pp. 49 à 71) ; ce chapitre étant strictement concerné, lui, par les années 1460-1560.

S'agissant néanmoins de la vaste période triséculaire qu'on vient d'évoquer (de la Renaissance aux Lumières), disons que l'unité de nos deux tomes, en très longue durée, surgit aussi de la relative consolidation d'une démographie, d'une société, d'une économie qui, si « chahutées » qu'elles puissent être à l'occasion, ne sont plus en proie, dorénavant, aux phénomènes d'apocalypse désintégratrice qui étaient intervenus jadis entre la Peste noire et les temps difficiles de Jeanne d'Arc ou du jeune Charles VII.

L'histoire strictement étatique n'est pas l'alpha et l'oméga, tant s'en faut, de notre contribution : celle-ci est concernée aussi par le devenir proprement social du royaume des derniers Valois, puis des Bourbons. L'évolution particulière de l'État justifie néanmoins, *in situ*, la périodisation qui va donner sens au partage de notre apport en deux volumes successifs. Le premier d'entre eux, intitulé *L'État royal*, envisage l'époque qui va de Louis XI à Henri IV, au cours de laquelle l'appareil du gouvernement et de la « fonction publique » (le mot existe) fonctionne encore et surtout, chancelier en tête, comme un État justicier, un État de croissante « ouverture » aussi, expression qui n'implique pas certes que les systèmes mis en cause soient nécessairement équitables pour tous les sujets ! Le tome suivant, de 1610 à

1774, se place dans la perspective de ce qu'on appelle souvent d'un terme expéditif, l'« absolutisme » ; ce pourrait être simplement, au gré d'un vocabulaire balzacien, une royale « recherche de l'absolu », pas toujours couronnée de succès. Pendant les cent soixante-cinq années, qui s'écouleront ainsi du geste régicide de Ravaillac à la petite vérole terminale de Louis XV, le royaume sera confié d'abord à un État militaire, celui de Louis XIII et surtout des deux cardinaux ministres, Richelieu, puis Mazarin ; il sera placé ensuite sous la responsabilité d'une monarchie administrative, voire absolue, dont les fortunes seront diverses, depuis Colbert jusqu'au triumvirat d'Aiguillon, Maupeou, Terray.

Le rapprochement panoramique de données généalogiques et géographiques permet de lire, dans la chronologie, le rôle des relations de parenté (alliance et filiation) dans la formation des grands fiefs et des territoires de la couronne. Ainsi, sur les généalogies des principales familles, où ne figurent que les mariages et les descendances essentiels dans l'histoire dont il est ici question, ont été placées des pastilles de couleur renvoyant aux territoires possédés par les principaux acteurs. La couleur des pastilles est reprise sur les cartes placées en regard. Au fil des générations, les possessions de chacun se transforment, soit par héritage direct (provenant du père et/ou de la mère), soit par héritage indirect, soit enfin par la réunion des biens résultant d'un mariage. Ainsi avons-nous figuré, par des flèches superposées aux liens de parenté, le sens de ces transmissions : chacune en indique l'origine et le bénéficiaire. La couleur de la pastille permet de repérer de quelle possession il s'agit. Enfin, si plusieurs pastilles sont accolées à un seul individu, c'est qu'il détient des biens issus de plusieurs origines : par exemple par filiation, puis par mariage, puis par donation, achat ou conquête (note de l'éditeur).

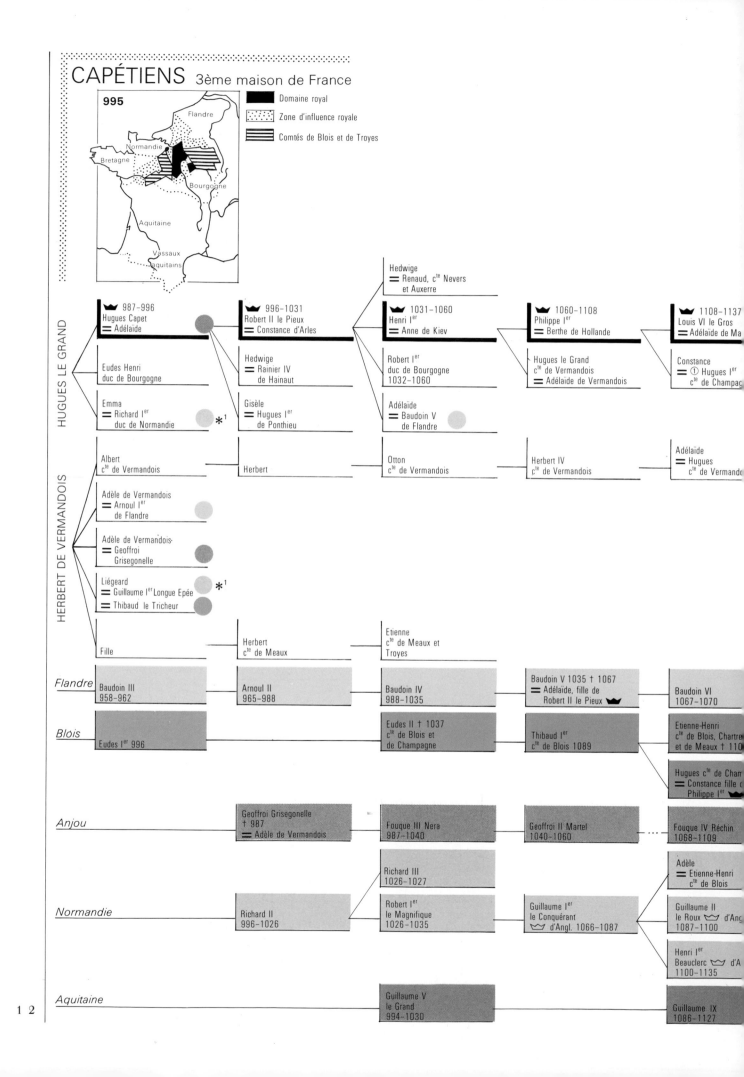

CAPÉTIENS 3ème maison de France

995

■ Domaine royal
▦ Zone d'influence royale
▤ Comtés de Blois et de Troyes

Carte : Flandre, Normandie, Bretagne, Bourgogne, Aquitaine, Vassaux Aquitains

HUGUES LE GRAND

♛ 987–996
Hugues Capet
= Adélaïde

♛ 996–1031
Robert II le Pieux
= Constance d'Arles

Hedwige
= Renaud, cᵗᵉ Nevers et Auxerre

♛ 1031–1060
Henri Iᵉʳ
= Anne de Kiev

♛ 1060–1108
Philippe Iᵉʳ
= Berthe de Hollande

♛ 1108–1137
Louis VI le Gros
= Adélaïde de Ma

Eudes Henri
duc de Bourgogne

Hedwige
= Rainier IV
de Hainaut

Robert Iᵉʳ
duc de Bourgogne
1032–1060

Hugues le Grand
cᵗᵉ de Vermandois
= Adélaïde de Vermandois

Constance
= ① Hugues Iᵉʳ
cᵗᵉ de Champag

Emma
= Richard Iᵉʳ
duc de Normandie
*1

Gisèle
= Hugues Iᵉʳ
de Ponthieu

Adélaïde
= Baudoin V
de Flandre

HERBERT DE VERMANDOIS

Albert
cᵗᵉ de Vermandois

Herbert

Otton
cᵗᵉ de Vermandois

Herbert IV
cᵗᵉ de Vermandois

Adélaïde
= Hugues
cᵗᵉ de Vermando

Adèle de Vermandois
= Arnoul Iᵉʳ
de Flandre

Adèle de Vermandois
= Geoffroi
Grisegonelle

Liégeard
= Guillaume Iᵉʳ Longue Epée *1
= Thibaud le Tricheur

Fille

Herbert
cᵗᵉ de Meaux

Etienne
cᵗᵉ de Meaux et
Troyes

Flandre	Baudoin III 958–962	Arnoul II 965–988	Baudoin IV 988–1035	Baudoin V 1035 † 1067 = Adélaïde, fille de Robert II le Pieux ♛	Baudoin VI 1067–1070
Blois	Eudes Iᵉʳ 996		Eudes II † 1037 cᵗᵉ de Blois et de Champagne	Thibaud Iᵉʳ cᵗᵉ de Blois 1089	Etienne-Henri cᵗᵉ de Blois, Chartre et de Meaux † 110
					Hugues cᵗᵉ de Chan = Constance fille Philippe Iᵉʳ ♛
Anjou		Geoffroi Grisegonelle † 987 = Adèle de Vermandois	Fouque III Nera 987–1040	Geoffroi II Martel 1040–1060	Fouque IV Réchin 1068–1109
Normandie			Richard III 1026–1027		Adèle = Etienne-Henri cᵗᵉ de Blois
		Richard II 996–1026	Robert Iᵉʳ le Magnifique 1026–1035	Guillaume Iᵉʳ le Conquérant ♛ d'Angl. 1066–1087	Guillaume II le Roux ♛ d'Ang 1087–1100
					Henri Iᵉʳ Beauclerc ♛ d'A 1100–1135
Aquitaine			Guillaume V le Grand 994–1030		Guillaume IX 1086–1127

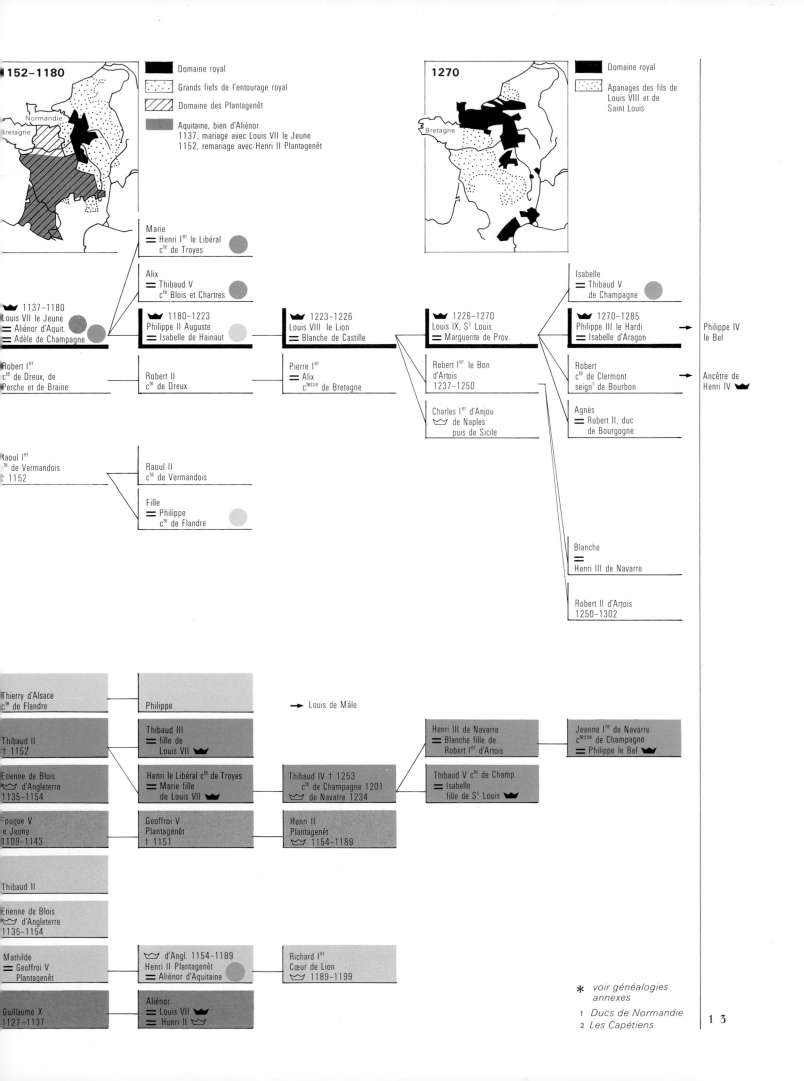

152–1180

Normandie
Bretagne

■ Domaine royal
⋯ Grands fiefs de l'entourage royal
▨ Domaine des Plantagenêt
▨ Aquitaine, bien d'Aliénor
1137, mariage avec Louis VII le Jeune
1152, remariage avec-Henri II Plantagenêt

1270

Bretagne

■ Domaine royal
⋯ Apanages des fils de
Louis VIII et de
Saint Louis

Marie
= Henri Ier le Libéral
c^{te} de Troyes ●

Alix
= Thibaud V
c^{te} Blois et Chartres ●

♛ 1137–1180
Louis VII le Jeune ●
= Aliénor d'Aquit. ●
= Adèle de Champagne ●

Isabelle
= Thibaud V
de Champagne ●

♛ 1180–1223
Philippe II Auguste
= Isabelle de Hainaut ●

♛ 1223–1226
Louis VIII le Lion
= Blanche de Castille

♛ 1226–1270
Louis IX, St Louis
= Marguerite de Prov.

♛ 1270–1285
Philippe III le Hardi
= Isabelle d'Aragon

→ Philippe IV
le Bel

Robert Ier
c^{te} de Dreux, de
Perche et de Braine

Robert II
c^{te} de Dreux

Pierre Ier
= Alix
c^{tesse} de Bretagne

Robert Ier le Bon
d'Artois
1237–1250

Charles Ier d'Anjou
♛ de Naples
puis de Sicile

Robert
c^{te} de Clermont
seign^r de Bourbon

→ Ancêtre de
Henri IV ♛

Agnès
= Robert II, duc
de Bourgogne

Raoul Ier
c^{te} de Vermandois
† 1152

Raoul II
c^{te} de Vermandois

Fille
= Philippe
c^{te} de Flandre ●

Blanche
=
Henri III de Navarre

Robert II d'Artois
1250–1302

Thierry d'Alsace
c^{te} de Flandre

Philippe

→ Louis de Mâle

Thibaud II
† 1152

Thibaud III
= fille de
Louis VII ♛

Henri III de Navarre
= Blanche fille de
Robert Ier d'Artois

Jeanne Ire de Navarre
c^{tesse} de Champagne
= Philippe le Bel ♛

Etienne de Blois
♛ d'Angleterre
1135–1154

Henri le Libéral c^{te} de Troyes
= Marie fille
de Louis VII ♛

Thibaud IV † 1253
c^{te} de Champagne 1201
♛ de Navarre 1234

Thibaud V c^{te} de Champ.
= Isabelle
fille de St Louis ♛

Fouque V
e Jeune
1109–1143

Geoffroi V
Plantagenêt
† 1151

Henri II
Plantagenêt
♛ 1154–1189

Thibaud II

Etienne de Blois
♛ d'Angleterre
1135–1154

Mathilde
= Geoffroi V
Plantagenêt

♛ d'Angl. 1154–1189
Henri II Plantagenêt
= Aliénor d'Aquitaine ●

Richard Ier
Cœur de Lion
♛ 1189–1199

Guillaume X
1127–1137

Aliénor
= Louis VII ♛
= Henri II ♛

* *voir généalogies
annexes*

1 *Ducs de Normandie*
2 *Les Capétiens*

1 3

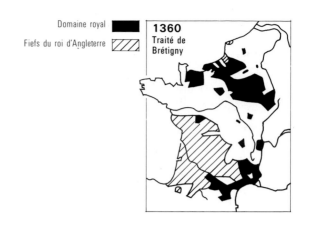

Domaine royal ▮
Fiefs du roi d'Angleterre ▨

1360
Traité de Brétigny

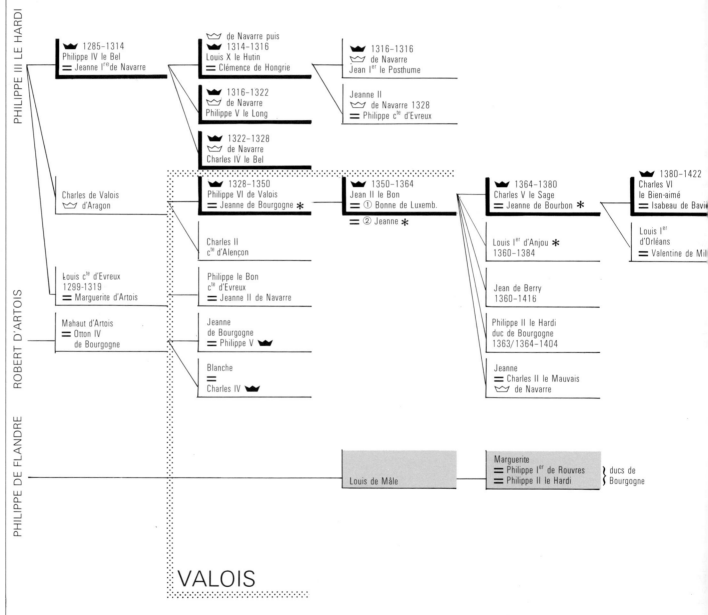

PHILIPPE III LE HARDI

ROBERT D'ARTOIS

PHILIPPE DE FLANDRE

👑 1285–1314
Philippe IV le Bel
= Jeanne Ire de Navarre

👑 de Navarre puis
👑 1314–1316
Louis X le Hutin
= Clémence de Hongrie

👑 1316–1316
👑 de Navarre
Jean Ier le Posthume

Jeanne II
👑 de Navarre 1328
= Philippe c^te d'Evreux

👑 1316–1322
👑 de Navarre
Philippe V le Long

👑 1322–1328
👑 de Navarre
Charles IV le Bel

Charles de Valois
👑 d'Aragon

👑 1328–1350
Philippe VI de Valois
= Jeanne de Bourgogne ✱

👑 1350–1364
Jean II le Bon
= ① Bonne de Luxemb.
= ② Jeanne ✱

👑 1364–1380
Charles V le Sage
= Jeanne de Bourbon ✱

👑 1380–1422
Charles VI
le Bien-aimé
= Isabeau de Bavi

Charles II
c^te d'Alençon

Louis Ier d'Anjou ✱
1360–1384

Louis Ier
d'Orléans
= Valentine de Mil

Louis c^te d'Evreux
1299–1319
= Marguerite d'Artois

Philippe le Bon
c^te d'Evreux
= Jeanne II de Navarre

Jean de Berry
1360–1416

Mahaut d'Artois
= Otton IV
de Bourgogne

Jeanne
de Bourgogne 👑
= Philippe V

Philippe II le Hardi
duc de Bourgogne
1363/1364–1404

Blanche

Charles IV 👑

Jeanne
= Charles II le Mauvais
👑 de Navarre

Louis de Mâle

Marguerite
= Philippe Ier de Rouvres
= Philippe II le Hardi
} ducs de Bourgogne

VALOIS

✱ *Voir généalogies annexes*

⬤ *Voir généalogie de la maison de Bretagne*

⬤} *Voir généalogie de la maison ducale de Bourbon*

1 4

Domination française ▮

Domination anglo-bourguignonne ▨

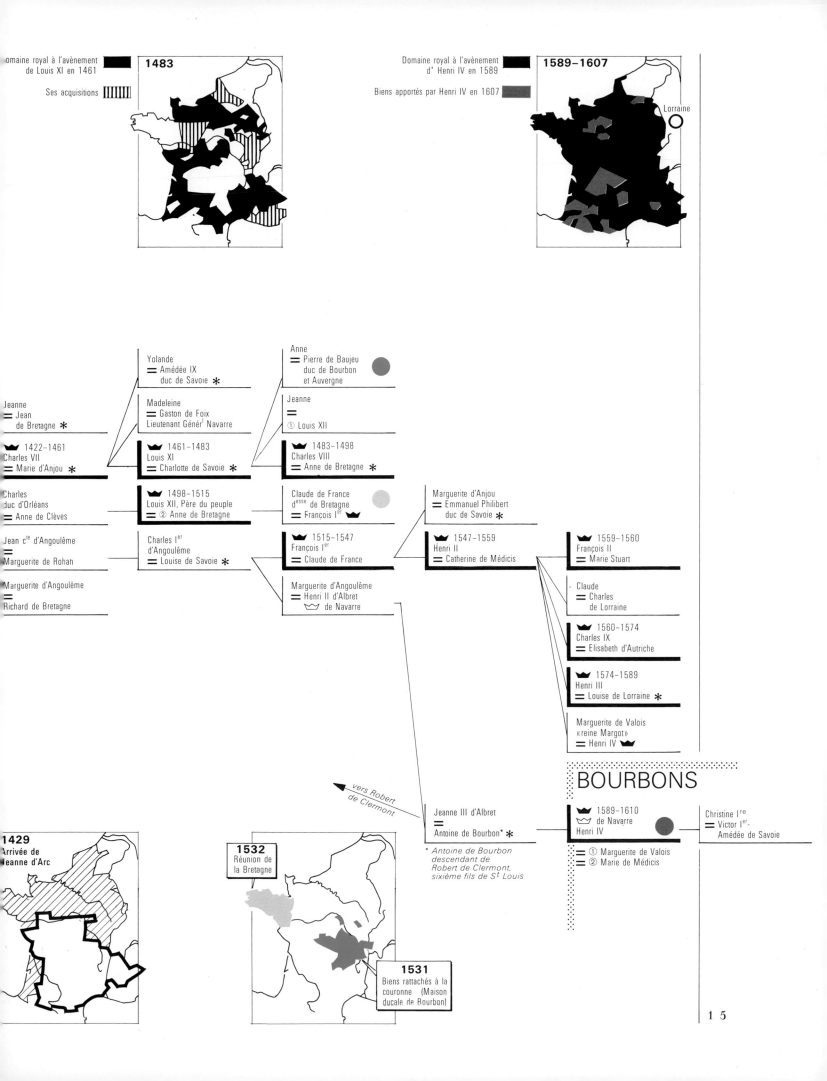

Maps (top):

Domaine royal à l'avènement de Louis XI en 1461

Ses acquisitions

1483

Domaine royal à l'avènement d' Henri IV en 1589

Biens apportés par Henri IV en 1607

1589-1607

Lorraine

Genealogical chart:

Yolande
= Amédée IX
duc de Savoie ✳

Anne
= Pierre de Baujeu
duc de Bourbon
et Auvergne

Jeanne
= Jean
de Bretagne ✳

Madeleine
= Gaston de Foix
Lieutenant Génér¹ Navarre

Jeanne
=
① Louis XII

♔ 1422-1461
Charles VII
= Marie d'Anjou ✳

♔ 1461-1483
Louis XI
= Charlotte de Savoie ✳

♔ 1483-1498
Charles VIII
= Anne de Bretagne ✳

Marguerite d'Anjou
= Emmanuel Philibert
duc de Savoie ✳

Charles
duc d'Orléans
= Anne de Clèves

♔ 1498-1515
Louis XII, Père du peuple
= ② Anne de Bretagne

Claude de France
dᵉˢˢᵉ de Bretagne
= François Iᵉʳ ♔

Jean cᵗᵉ d'Angoulême
=
Marguerite de Rohan

Charles Iᵉʳ
d'Angoulême
= Louise de Savoie ✳

♔ 1515-1547
François Iᵉʳ
= Claude de France

♔ 1547-1559
Henri II
= Catherine de Médicis

♔ 1559-1560
François II
= Marie Stuart

Marguerite d'Angoulême
=
Richard de Bretagne

Marguerite d'Angoulême
= Henri II d'Albret
♕ de Navarre

Claude
= Charles
de Lorraine

♔ 1560-1574
Charles IX
= Elisabeth d'Autriche

♔ 1574-1589
Henri III
= Louise de Lorraine ✳

Marguerite de Valois
«reine Margot»
= Henri IV ♔

BOURBONS

vers Robert
de Clermont

Jeanne III d'Albret
=
Antoine de Bourbon* ✳

♔ 1589-1610
de Navarre
Henri IV

Christine Iʳᵉ
= Victor Iᵉʳ-
Amédée de Savoie

= ① Marguerite de Valois
= ② Marie de Médicis

*Antoine de Bourbon
descendant de
Robert de Clermont,
sixième fils de Sᵗ Louis

Maps (bottom):

1429
Arrivée de
Jeanne d'Arc

1532
Réunion de
la Bretagne

1531
Biens rattachés à la
couronne (Maison
ducale de Bourbon)

INTRODUCTION
LA MONARCHIE
CLASSIQUE

La propagande monarchique atteint les provinces proches. En 1603, un certain Jean Baillet, bourgeois d'Amiens, offre à la confrérie du Puy-Notre-Dame de sa ville un tableau qui est de sujet religieux dans la partie supérieure, royal et familial au-dessous. Il représente Henri IV tenant sur ses genoux Louis XIII (né en 1601). Aux côtés du roi, le Père Coton et aussi, vraisemblablement, des personnages de la noblesse picarde. Henri IV, âgé de 50 ans à l'époque, fut un père rude, mais affectueux et, plus tard, largement payé de retour par la tendresse de son fils ; celui-ci, par contre, eut souvent avec sa mère Marie de Médicis des relations assez froides et même, sur le tard, carrément désagréables et hostiles. Par-delà le cas particulier de la progéniture masculine du premier Bourbon, le tableau, sous les auspices de la Vierge et de la loi salique, suscite en toute famille régnante la question des rapports père-fils. Une fois passée la petite enfance de l'héritier, ils sont évidemment plus complexes que ne le laisse entendre cette œuvre gracieuse. Le futur Louis XI, encore dauphin, se révolta contre son père Charles VII ; Henri II, qui nouait avec François Ier des liens mêlés d'amour et d'hostilité, prit souvent le contrepied de la politique paternelle, une fois monté sur le trône. Sous Louis XIV, Saint-Simon peint en termes excellents le jeu des trois cabales de Versailles, axées chacune sur une génération du lignage souverain. Cabale du père Louis XIV et son épouse clandestine Maintenon ; cabale du fils, le grand Dauphin alias Monseigneur ; cabale du petit-fils le duc de Bourgogne, entouré de réformateurs intelligents et brillants, parfois chimériques, dans le style de Fénelon et du duc de Chevreuse. Au temps de Louis XV enfin le « parti du Dauphin » s'opposera discrètement à certains aspects de la politique du Bien-Aimé. Dans le jeu complexe de la famille royale, les conflits générationnels se juxtapo-

L a notion de monarchie classique commande le devenir politique des pays français entre 1450 et 1789 : elle correspond à un Ancien Régime très « allongé » qui s'écoule, et puis qui s'écroule, en paix ou fureur, depuis la fin des guerres de Cent Ans jusqu'au déclin du règne de Louis XVI. Pendant ces trois gros siècles, plusieurs « systèmes » pourraient illustrer le concept général de monarchie. Outre la dynastie française des derniers Valois et des Bourbons, ils incluraient, dans un esprit comparatif, les royautés au nom desquelles sont gouvernés divers États d'Allemagne et d'Italie, l'Espagne, l'Angleterre des Stuarts et des premiers Hanovriens. Hors d'Europe, le shôgunat japonais de l'époque Tokugawa (XVIIe-XIXe siècle) pourrait fournir, à titre purement externe, d'utiles repères.

Un premier trait « central » met en valeur le caractère sacré de l'institution monarchique. Les cérémonies du sacre (exaltées dès le Moyen Age pour faire pièce à l'Empire) et le toucher royal des écrouelles, avec son effet guérisseur ou miraculeux en sont l'expression connue. Ce toucher incorpore un vaste ensemble de rites. A Versailles, des faits aussi différents que l'attouchement des scrofuleux, la quête pour les pauvres, et le déshabillage vespéral du monarque à la lueur d'une bougie, font figure de *soins* respectivement corporels ou monétaires. Ils sont administrés aux malades et aux pauvres par le roi, ou appliqués par le premier valet de chambre au corps de Sa Majesté. Ces soins sont inséparables de pratiques religieuses : le toucher des écrouelles est précédé par la communion du roi, évoquant (de loin) l'Eucharistie sous les deux espèces, celles-ci en principe étant réservées aux prêtres. Le déshabillage royal s'accompagne d'une prière du soir que prononce l'aumônier de service, etc. Ces diverses procédures impliquent le choix de certains compagnons, momentanément élus, que le roi distingue à l'occasion desdits rites parmi les aristocrates de haut rang. Ainsi se conjuguent en vertu d'un vieux schéma ternaire, autour de l'être même du souverain, conçu comme synthèse, les cérémonies cultuelles, la mise en avant d'une suprême noblesse à vocation guerrière, et enfin les soins donnés au corps, populaire ou royal, dont découle métaphoriquement la fécondité, y compris économique, d'un plus vaste ensemble.

Les sacralités souveraines ont d'autres effets, moins cérémoniels et plus dramatiques : le roi, à l'occasion de son sacre, fait serment d'éradiquer l'hérésie dans son royaume. La monarchie classique, en France et ailleurs,

teur), pour certains droits du peuple, des trois ordres, ou comme on dira plus tard de la nation, vis-à-vis du souverain. Les formules varient : au XVe siècle, il est question d'un corps civil ou mystique de tout le royaume, corps auquel appartient la monarchie, et dont elle dépend. Le XVIe siècle, plus pot-au-feu, évoque les noces du monarque avec le royaume ; la dot apportée par celui-ci (autrement dit le domaine royal) est inaliénable, quoique veuille ou fasse le souverain régnant, tout comme la dot d'une femme est sacrée pour son époux. Le modèle ecclésiastique dans ces divers cas est essentiel, qu'il s'agisse du corps mystique du royaume, analogue à celui de l'Église ; ou des noces mystiques du roi avec ses sujets, comparées aux épousailles d'un évêque avec son église diocésaine. Au XVIIe siècle des penseurs non conformistes comme Claude Joly (anti-Mazarin) et Pierre Jurieu (huguenot contestataire) vont plus loin ; ils parlent d'un contrat, d'un pacte entre le roi et son peuple.

Sans adopter de telles extrémités, les juristes français les plus officiels ont toujours rappelé que la légitimité royale s'accompagne inévitablement d'une légalité des institutions et des coutumes, à laquelle le monarque ne peut toucher. Et si l'on affirme la règle *Princeps legibus solutus est* (le Prince est délié des lois), c'est moins pour soumettre les sujets à l'arbitraire d'un seul, que pour affirmer, faute de mieux face à l'immobilisme des Parlements, le droit du souverain à l'initiative en matière de pouvoir législatif, telle que l'exigent les besoins quotidiens du changement social, même modéré. Mais d'arbitraire tyrannique, point. Du moins dans le principe. En droit, les gouvernés ont leur mot à dire dès lors qu'ils ne sortent pas du cadre de la loi ; il leur suffit d'exalter celle-ci, pour la défense de leurs droits et de leurs biens.

Concrètement, les diverses formes de participation nationale s'incarnent dans les institutions représentatives des trois ordres du royaume, *alias* États Généraux ; ils furent souvent réunis aux XVe et XVIe siècles. Après 1614, ils ne seront plus convoqués jusqu'en 1789. Mais leur être vivra encore dans la mémoire collective, comme source de légitimité toujours possible. L'assemblée nationale des trois ordres, mal-aimée des Bourbons et qui sur le tard leur sera fatale, se complète en province d'une pyramide d'assemblées représentatives. On peut contester le caractère démocratique de celles-ci. Nul ne niera néanmoins qu'elles incarnent les membres des divers *Estats*, présents dans telle ou telle région. Évoquons les États de Languedoc où siègent les barons, les vingt-deux évêques de cette province et les représentants des villes : sous ces États méridionaux, fonctionnent régulièrement les *assiettes* ou assemblées micro-régionales dans chacun des vingt-deux diocèses de la région. Elles sont composées de même manière que l'assemblée générale de la province ; elles regroupent les clercs, les barons, et les consuls des cités et bourgades. D'autres pays « périphériques » (Provence, Bretagne, Normandie) jouissent eux aussi d'assemblées particulières : dans le cas normand, elles ne se réunissent plus depuis la seconde moitié du XVIIe siècle, du fait des processus « centralisateurs » qui prennent place sous Mazarin et Louis XIV. Dans la péninsule ibérique, les Cortès d'Aragon, de Castille et de Portugal fonctionnent de façon similaire et survivent largement à leurs homologues français. Le Parlement anglais est issu de réunions du même type, Communes et Lords. Sa prodigieuse fortune historique, en tant que modèle pour les institutions représentatives dans le monde entier, ou comme mère des Parlements, ne saurait masquer son origine : en un style particulier, il procède lui aussi d'un système de Cortès ou d'États

Généraux, mais convoqués de façon infiniment plus régulière que ce n'est le cas pour la France. On évoquera enfin sous les auspices d'un monarque de carton, la Diète polonaise avec son *liberum veto* : le moindre magnat pouvait user de cette procédure pour faire obstacle aux vœux de l'assemblée, serait-elle quasi unanime.

En ce qui concerne la France, malgré la façade absolutiste, qui va progressivement se lézarder au XVIIIe siècle, l'Ancien Régime demeure (entre autres) société d'ordres ou d'*Estats*. Au long de la grande chaîne des êtres, le roi et les États Généraux ou provinciaux sont les portions émergées d'un conglomérat beaucoup plus vaste ; il est fait de communautés, corporations, institutions représentatives. A défaut de réunion effective des États Généraux, depuis Richelieu jusqu'à Louis XVI, les Parlements, et spécialement celui de Paris s'érigent en instances à vocation nationale. Ils participent à la résurrection du corps mystique du royaume, remis en selle de 1715 à 1788..., et démystifié dès 1789.

La monarchie sous sa forme classique se lie au fonctionnement d'une Cour, centrée autour du souverain. Itinérante au temps des Valois. Fixée à Paris, Fontainebleau, Versailles surtout, sous les Bourbons. Entre autres buts, l'institution « curiale » vise à neutraliser les magnats. Dans le Japon des Tokugawa, les *daimyo* sont de grands seigneurs régionaux, doués d'un pouvoir effectif sur leur province respective. Or ils se rendent régulièrement à Edo (Tokyo) pour y faire en principe leur cour au *shogūn*. Celui-ci s'assure de la sorte un contrôle fréquent et répétitif sur ces potentats décentralisés ; leur déplacement curial les transforme en otages périodiques. En France, Louis XIV s'attache les grands seigneurs et les rend dociles par un octroi de pensions qui implique la résidence à Versailles, à temps partiel pour le moins. Système coûteux, mais rentable en termes de paix intérieure du royaume. Désormais « les nobles sont groupés autour du trône comme un *ornement* et disent à celui qui y prend place ce qu'il est[2] ». En dépit de cette évolution ornementale, les seigneurs ne deviennent pas pour autant les esclaves du Roi-Soleil. Tout au plus les marionnettes ! Leur réunion à Versailles permet à Sa Majesté de tenir en main les fils arachnéens d'une toile clientéliste : les grands aristocrates (Harcourt, Condé, Villeroy) sont à la tête d'un réseau pyramidal de relations déférentes. Elles les unissent à leurs amis, à leurs vassaux et fermiers, aux paysans dont ils sont les seigneurs. La Cour se superpose à toutes ces trames, comme principe dominant et central. Seigneurie à la base, monarchie dans les sommets. Celle-ci s'assujettit la lourde épée des chevaliers, mais aussi la crosse et le goupillon des prélats : les évêques en effet, tout comme les seigneurs, font la navette entre Cour et province. Même pieux et volontiers résidents au diocèse, ils se doivent d'apparaître de façon régulière aux alentours immédiats du monarque, sous peine d'encourir à la longue sa défaveur. Or tenir les évêques, ainsi convoqués à la Cour, c'est manipuler par leur intermédiaire, les dizaines de milliers de vicaires et de curés. A défaut d'une bureaucratie spécialisée, qui serait établie sur place, ceux-ci se font les subdélégués naturels du pouvoir, sans se faire prier.

En France, mais aussi en Espagne et à Vienne, la Cour s'érige en lieu géométrique des hiérarchies. Elles sous-tendent le système monarchique ou sont sous-entendues par lui. Elles ne furent jamais aussi apparentes qu'à l'avant-veille de leur extinction révolutionnaire. L'esprit hiérarchique tient en quelques aspects : subdivision toujours plus poussée des rangs, au long d'un axe vertical, qui descend de la famille royale aux simples gentilshommes en passant par les ducs et pairs. Référence aux distinctions entre le sacré et le profane ; et aussi entre le pur et l'impur, le bâtard et le légitime. Division de la cour en cabales ou factions, qui bourgeonnent autour des différentes branches et générations de la famille royale. Contre-phénomènes de renoncement chrétien vis-à-vis de la Cour ou du monde, d'une part. Et faits d'hypergamie féminine d'autre part : les femmes, grâce au mariage, obtiennent, par le biais d'une grosse dot, des maris plus distingués qu'elles-mêmes, et un rang plus élevé que celui de leur naissance. Elles grimpent ainsi comme des truites tout au long de la cascade des mépris. Venues de niveaux relativement modestes, mais bien rentés, elles accèdent de façon régulière aux étages les plus haut perchés de la Cour[3].

Hors de la Cour et du site gouvernemental, la monarchie classique se distingue par un système d'administration qui n'est que partiellement, parfois faiblement centralisé. En Angleterre, une gentilhommerie de province *(gentry)* détient souvent l'essentiel du pouvoir local par le moyen des *justices of the peace*. En France, les gouverneurs de province ou leurs lieutenants généraux jouissaient localement d'un pouvoir qui leur venait du roi, mais ils disposaient aussi, jusqu'au début du XVIIe siècle, d'une situation de grands seigneurs, autonomes ou semi-indépendants. Ils se constituaient une clientèle locale, avec ou sans la permission du monarque. Les choses vont changer, sans doute, lors de la généralisation des intendants : peu à peu instaurés au XVIe siècle, multipliés par Henri IV, Louis XIII et surtout Richelieu, ils s'installent partout à poste fixe (après leur collapsus de la Fronde) par ordre de Louis XIV et Colbert. A une échelle considérable pour l'époque, mais encore modeste au gré de nos critères contemporains, ces intendants de généralités ou commissaires régionaux apparaissent comme les ancêtres des préfets et super-préfets dont le pouvoir ne s'effritera vraiment (?) qu'avec la loi de décentralisation de 1981. Le réseau des intendants d'autrefois sera donc présenté par Tocqueville, non sans motifs, comme l'incarnation du centralisme. Pourtant quand on les voit fonctionner dans leurs villes chefs-lieux, sous Louis XIV quadragénaire ou quinquagénaire, on réalise que la centralisation dans bien des cas n'est encore qu'en germe. Prenons l'exemple, à cette époque, de la généralité d'Alençon, ni trop proche, ni trop éloignée de la capitale. L'intendant y apparaît surtout comme un arbitre, un négociateur ; il passe son temps à louvoyer entre les pouvoirs locaux, ou nationaux : administration des tailles, fermes des aides et des gabelles ; communautés de villes, contrôle général sis à Versailles ; armée royale, mise au repos dans son quartier d'hiver en Normandie, et dont les soldats désargentés se font quelques revenus par le faux-saunage ; évêques, tribunaux de bailliages... Les mafias urbaines, les détenteurs d'offices qui les uns et les autres, préexistaient à l'intendance, continuent à détenir le plus gros des pouvoirs qui dans leur cas ne méritent pas techniquement l'épithète de « centraliste ». Vis-à-vis d'eux, l'intendant ne fait pas figure de maître impérieux, obéi à coup sûr ; il joue davantage un rôle de médiateur, modérateur et bien sûr coordinateur ; il participe ainsi à l'opération de rapprochement et regroupement entre les diverses élites, qui constitue l'un des traits du règne de Louis XIV. Certes ce monarque et même ses successeurs ou subordonnés ont prétendu par moments à la toute-puissance. Mais malgré le culte de la personnalité qui entoure les souverains et compense *de facto* les réelles faiblesses de leur pouvoir, la monarchie classique reste objectivement et subjectivement décentralisée, en tout cas nettement moins centralisée que les systèmes politiques qui lui succéderont au XIXᵉ siècle ; elle est *a fortiori* moins tentaculaire que ne le sont de nombreux régimes du XXᵉ siècle ; ils s'ingèrent en bien des cas dans la sphère des intérêts privés, et dans les domaines spécifiques de la société civile.

Le terme même de société civile nous amène à dire quelques mots sur certaines « substructures » profondes, par rapport à la monarchie classique, du XVᵉ au XVIIIᵉ siècle. Parmi celles-ci, on placera tout simplement la démographie et même la famille.

La monarchie classique est inséparable d'abord d'un certain type de démographie, résumé dans une conjoncture longue. Disons qu'elle concerne pour l'essentiel une période approximative de trois siècles et demi (1450-1789), au cours de laquelle les catastrophes abondent, certes ; mais elles n'ont plus le caractère désintégrateur ou ultra-traumatisant qu'elles avaient revêtu au cours des périodes antérieures. N'évoquons que pour une brève réminiscence, au cours du premier millénaire après le Christ, les invasions barbares, la régression économique et démographique qui les accompagne ou qui les suit, le retour en force des forêts sur l'emplacement des anciens champs cultivés et, de façon corrélative, l'effondrement des anciennes structures impériales à jamais mises en déroute (malgré leur partielle résurrection carolingienne en des temps ultérieurs). Pour trouver derechef un écroulement comparable, quoique d'amplitude un peu moindre, il faut descendre le cours du temps jusqu'aux XIVᵉ et XVᵉ siècles, jusqu'à la Peste noire et aux guerres de Cents Ans : entre 1340 et 1450, la population française tombe de moitié, de vingt millions d'âmes à dix millions grosso modo dans le cadre conventionnel de l'hexagone d'aujourd'hui. S'agissant de l'État proprement dit, l'arbre monarchique se trouve entaillé jusqu'au cœur. La royauté connaît alors une crise qui sur le moment peut paraître (à tort) irrémédiable. Les lignées anglaise et française se prétendent toutes deux légitimes ; elles s'affrontent sur le territoire du royaume. Au terme de cette épreuve, après 1453, l'unité territoriale s'est à peu près reconstituée ; la reprise économique et démographique est assurée ; la construction de la monarchie classique peut commencer ou se poursuivre dans de meilleures conditions. Ainsi se révèle progressivement l'unité de la période au cours de laquelle on voit vivre, croître et finalement décliner cette grande institution, des années 1450 aux années 1780. Les caractères originaux de la longue époque ainsi mise en cause se ramènent à ceci : elle n'est plus interrompue par une catastrophe géante dans le genre des pestes bas-médiévales ou des guerres de Cent Ans, et qui diviserait par deux, ne serait-ce que pour quelques dizaines d'années, l'effectif de la population globale du pays. Certes on traverse des périodes difficiles, guerres de Religion, Fronde, famines louis-quatorziennes (1694, 1709...). Les unes et les autres peuvent faire baisser le peuplement de la France, au grand maximum, d'un dixième de ses effectifs globaux. C'est assez pour faire souffrir le plus grand nombre ; ce n'est plus suffisant pour inverser la croissance de l'appareil étatique. Et du reste, la *masse* française n'est plus remise en cause : d'un siècle à l'autre, elle fournit aux entreprises du Prince une base qui ne se dément plus. Même remarque pour l'Angleterre, en plein expansion démographique du XVIᵉ au XVIIIᵉ siècle. Notation analogue pour l'Espagne, malgré le tassement modéré des effectifs humains dans la péninsule autour de 1600[4]. Au Japon la population bondira, puis se stabilisera, ni plus ni moins, du XVIIᵉ au XIXᵉ siècle, après l'unification pacifiante qu'ont réalisée les Tokugawa. L'exemple de l'Allemagne, *a con-*

trario, est fort éclairant : dans cette grande aire ethnique et culturelle, la monarchie classique, à l'âge moderne, n'est point parvenue à son épanouissement « normal », de type français, anglais, espagnol ; et cela malgré d'importantes réalisations, en Autriche, Prusse, Bavière, etc. Or, on constate, et le fait est d'autant plus remarquable qu'au cœur de la Germanie, précisément, intervient entre 1620 et 1650 une catastrophe démographique : elle ressemble fort (en plus bref) à celle qu'avait connue l'Occident tout entier, aux XIVe et XVe siècles. Les pertes dans les régions situées entre Oder et Vosges atteindraient 40 % de la population totale[5]. L'absence d'un État central et solide en Allemagne, susceptible d'écarter ou de dissuader les armées étrangères est évidemment l'une des causes de ce désastre (qui à son tour découragera pour longtemps la création dudit État unifié). Les armées, pendant cette guerre de Trente Ans ont pu dans de telles conditions s'en donner « à cœur joie » ; elles pratiquèrent des cruautés sanglantes ; les soldats et les réfugiés errants disséminèrent un peu partout le germe épidémique ; la soldatesque envahissante répandit l'insécurité, réquisitionna les chevaux de labour, compromit les récoltes et augmenta les périls de famine. Contre des risques aussi graves, la France, l'Angleterre et l'Espagne s'étaient vaccinées ou prémunies en se dotant après le « temps des troubles » (XIVe-XVe siècle) de monarchies classiques relativement fermes, dont les forces militaires étaient susceptibles de « sanctuariser » le territoire national. L'existence de ces armées permanentes, et la construction de forteresses frontalières conduisent à des résultats fort appréciables : Paris ne connaît plus d'occupation par les troupes ennemies jusqu'en 1814. Cependant cette sanctuarisation comporte un prix et l'on peut parler à ce propos, d'une externalisation des coûts*. Généralisons ce qui vient d'être dit à propos de l'Allemagne : les peuples qui ne bénéficient pas de la protection d'une monarchie classique, ni d'un État fort, doté d'une armée permanente, sont en butte de façon fréquente aux dangereuses promenades qu'organisent sur leurs territoires ouverts aux quatre vents les chefs militaires, surgis des monarchies voisines. Le coût de ces incursions guerrières est parfois dévastateur ; nos voisins d'outre-Vosges et d'outre-Rhin ont donc expérimenté au second quart du XVIIe siècle, une démographie toboggan et une situation d'apocalypse avec saignée des effectifs humains, à la moitié ou au tiers, telle que les autres pays occidentaux, favorisés désormais par un certain taux d'unification monarchique, n'en ont plus connu après 1450 ou 1500. On en dira autant de la Pologne[6]. A une époque qui en chronologie française correspond à la fin de Mazarin et au début de Colbert, ce pays s'écroule démographiquement, dans des proportions catastrophiques, qui évoquent les désastres plus précoces de l'Allemagne des guerres de Trente Ans. Les carences d'un État polonais qui n'évolue nullement vers la monarchie classique sont à mettre en cause pour la circonstance, à côté d'autres facteurs parmi lesquels figure au premier chef l'encerclement du pays par les ethnies russe, scandinave, et bientôt germanique. D'un point de vue purement institutionnel en tout cas, l'introduction de la pratique du *liberum veto* en 1652 prévoit que toutes les décisions de la Diète seront prises à l'unanimité. Cet acte contredit aux structures pour le moins semi-autoritaires de nos monarchies classiques. Il précède de peu la destruction démographique de la Pologne par les guerres et invasions russes et suédoises (1654-1667.) Vice versa, la monarchie classique s'accompagne, à travers les siècles qui la voient fleurir, du maintien continu d'un minimum d'intégrité démographique. Elle implique même diverses phases d'essor du peuplement sur les territoires qu'elle contrôle.

* Externalisation des coûts : report des coûts d'une entreprise sur des entités ou des populations qui lui sont extérieures.

La démographie ne se ramène pas simplement à la célèbre formule : « *Comptez, comptez vos hommes ; comptez, comptez-les bien.* » Elle inclut aussi quelque considération pour les structures familiales. Or celles-ci ne sont pas indifférentes à l'institution monarchique. La maisonnée royale en tout temps, et aussi à l'époque classique, se comporte en « famille élargie », au sens le plus vaste du terme. Elle abrite sous le toit d'un grand palais, le monarque, son épouse, sa maîtresse éventuelle, ses enfants et petits-enfants ; ainsi que les conjoints des uns et des autres et leur progéniture respective. A tout le moins ces différents personnages, ainsi que la reine mère quand elle survit, viennent-ils régulièrement au « Château » pour y effectuer des visites ou séjours plus ou moins longs, afin de faire leur cour au souverain. En outre la vaste bâtisse abrite de façon permanente ou momentanée, un grand nombre de domestiques et courtisans.

Cette espèce de famille « hyperlarge » et dirigée par un prestigieux patriarche, en la personne du tenancier du trône, correspond, terme à terme, à des types de ménages similaires, quoique plus modestes, au sein de la société globale. Bien entendu, les foyers des simples sujets et sujettes, que nous évoquons de la sorte, disposent, en chaque unité, d'effectifs humains beaucoup plus réduits que ce n'est le cas pour l'immense *familia* qui séjourne à Blois, Fontainebleau ou Versailles. Ce point admis, constatons qu'en France du Sud, au XVIIIᵉ siècle encore, la famille élargie, avec docile co-résidence d'un enfant marié, flanqué de sa progéniture, et qui vit incrusté au domicile de ses vieux parents demeure extrêmement répandue et même canonique ; du moins dans les milieux ruraux et montagnards[7]. En France du Nord par contre, la famille patriarcale est surclassée par les ménages simplement composés des parents et des enfants, un point c'est tout. Et cependant, même dans ces régions septentrionales, un certain nombre de foyers disposent (en plus du père, de la mère et des petits) d'un ascendant ou d'un collatéral à domicile ; sans parler bien sûr des servantes et des serviteurs, ceux-ci nombreux dans les manoirs des gentilshommes. Le pourcentage de telles « familles élargies » peut atteindre 10 % du nombre total des ménages dans la région de Valenciennes sous l'Ancien Régime, et même 17 % à Longuenesse dans le bailliage de Saint-Omer[8]. De plus, une famille peut avoir congénitalement vocation à l'élargissement, et n'être pas « large » à l'instant précis qui voit passer les agents recenseurs ou les curés compteurs d'âmes. Tout ménage élargi, qui comporte la présence au foyer d'enfants, d'une mère, d'un père et de sa vieille mère veuve, a « commencé » en effet par être nucléaire (quand l'homme était tout jeune célibataire, et quand la future veuve habitait avec ce grand fils non marié et son propre époux encore vivant dans la maison mise en cause). Du reste, après le décès de la veuve, cette même famille redeviendra nucléaire pour quelque temps et ainsi de suite. C'est un cycle familial ; mais de toute manière, l'élargissement ultérieur ou spasmodique de la maisonnée demeure constamment présent selon les perspectives de ses membres, même quand il n'est pas encore ou n'est plus réalisé dans les faits.

Il y a donc effet de miroir : la monarchie forme système patrimonial et patriarcal ; il se fonde notamment sur le vaste élargissement du foyer souverain. Il reflète à sa manière l'arrangement plus simple, mais complexe encore, des centaines de milliers de « ménages larges » (un foyer sur dix en France) où le chef de famille règne non seulement sur femme et enfants, mais aussi sur des collatéraux, ascendants, petits-enfants, domestiques, etc.

La légitimité du pouvoir monarchique vient aussi de ce que les sujets l'identifient aisément aux liens hiérarchiques qu'ils expérimentent chaque jour dans leur cadre familial et privé. Puissance de la coutume...

Autre substructure, indispensable aux assises monarchiques : la communauté paysanne ou de village. Elle est infiniment plus ancienne que nos royautés. Elle les précéda. Elle leur survivra. Surgie d'une lointaine et tacite protohistoire, ou bien née, par seconde origine, de telle confrérie religieuse et locale qui fut formée *in situ* au Moyen Age (par exemple la confrérie du Saint-Esprit dans les villages et bourgades du Sud-Est français), la communauté paysanne s'est transformée, le moment venu, en instrument précieux, parmi les pouvoirs sur lesquels s'appuient le roi et les siens. Pour percevoir l'impôt, les souverains sont en effet mal lotis, s'ils ne peuvent compter que sur les seigneuries territoriales qui constellent par milliers la superficie du royaume. Les seigneurs qui dirigent celles-ci sont tentés de conserver pour eux-mêmes l'argent qu'ils devraient normalement verser au Trésor royal. L'Empire romain, lors de sa décadence, avait beaucoup souffert de tels procédés, de la part des propriétaires des grands domaines. D'où l'autre solution gouvernementale, dont l'histoire confirmera la fécondité : s'adresser non point aux seigneurs, mais aux communautés ; court-circuiter les nobles maîtres du sol et, de cette manière, prélever l'impôt « à la source ». Ce faisant, l'État rehausse le rôle et la dignité des communautés ; et puis, paradoxalement, par retour du bâton, il leur ouvre les voies ultérieures de la révolte antifiscale. Bref une relation d'amour-haine se noue entre État monarchique et communautés ; elle se traduit par quelques slogans fameux des révoltes antifiscales : vive le roi sans taille et sans gabelle, ou vive le roi quand même. De toute manière, et du fait même de ce rapport privilégié avec le village, les représentants du pouvoir, et surtout, en fin de parcours, les intendants tiendront à s'immiscer dans les affaires intérieures, et principalement comptables, du « commun » rural. Ils empêcheront ainsi les villageois de dépenser trop pour leurs petites affaires municipales, ou pour le paiement des intérêts des dettes de la commune. Car dans l'hypothèse d'un pur et simple laisser-faire, Sa Majesté risquerait d'être privée d'une partie des recettes du fisc, puisque les paysans seraient décidément trop pauvres pour faire face à deux lourdes séries de prélèvements simultanés : l'un local, l'autre étatique. Cette ingérence du pouvoir central dans les délibérations courantes des collectivités campagnardes sera typique, en France, des années 1660-1680, dites colbertiennes ; néanmoins, en l'absence de contrôleurs et de percepteurs des contributions, qui seraient nommés par l'État, la communauté paysanne de l'Ancien Régime paradoxalement conserve des pouvoirs plus considérables que ceux qui seront détenus par nos municipalités contemporaines, dans les campagnes. Elle demeure chargée, en effet, de l'assiette et de la collecte des impôts.

Après les villages, les villes. Après les pions, les grosses pièces, sur l'échiquier monarchique. Certes, l'Europe méditerranéenne ou germanique a su développer des réseaux de villes libres : Machiavel a dépeint les cités allemandes « en grande liberté, qui obéissent à l'empereur quand il leur plaît, ne craignent nul de leurs voisins, d'autant qu'elles ont toutes fossés et murs suffisants, de l'artillerie en grande quantité, et toujours dans leurs magasins publics de la nourriture, de la boisson et du bois à brûler pour un an[9] ». En

Allemagne, sous la Renaissance, la vie urbaine implique donc, au gré de l'auteur florentin, de gros murs, garants de l'indépendance communale. Par contre, la *bonne ville*, en France et peut-être ailleurs, caractérise les grands États proprement monarchiques au XVIe siècle ; ils oublieront le nom, mais conserveront la chose lors des époques suivantes. Vis-à-vis de la bonne ville, le Prince, individuel ou collectif, est nettement plus interventionniste en notre pays que ne l'est, ailleurs, le faible Empire germanique. Protégées des invasions par l'armée royale, nos cités apprendront graduellement à se passer de remparts, au gré d'une évolution qui se généralisera durant les Lumières. Cette démilitarisation des périphéries citadines transformera les murs épais en grands boulevards : elle naîtra de la sécurité accrue que répandront, sur le territoire de l'État, les initiatives monarchiques. Le budget urbain épargnera de cette manière des frais importants de maçonnerie tant pour construire que pour réparer les murailles.

Au plan politique, la bonne ville ou simplement la ville classique est un mixte de pouvoir royal et de puissance communale, « une société mixte ». Compromis logique. Deux entités coexistent, étatique et citadine : le roi dans ces conditions ne saurait étouffer ni même anémier tout à fait les notables des cités. Il a besoin d'eux, autant qu'ils ont besoin de lui. Les monarques Bourbons interviendront de plus en plus dans les élections des édiles, échevins et autres consuls ; l'oligarchie locale, auparavant, les avait contrôlées davantage. L'interférence royale va nécessairement croître ; la collaboration entre élites urbaines et pouvoir monarchique devient partie prenante des structures normales du royaume. Même dans ce cas, néanmoins, le gouvernement central n'annule pas, à terme, les notables citadins. Les hommes *du* pouvoir royal sont aussi des hommes *de* pouvoir local.

Soit l'exemple de Domfront[10], au début du XVIIIe siècle : le sieur de Surlandes est maire, et lieutenant de police[11], mais il est aussi subdélégué de l'intendant, et beau-frère du receveur des tailles. Représentant simultané de la ville et du roi, il est immergé jusqu'au cou dans les affaires, parfois louches, de la cité, de la mairie et des campagnes environnantes. Compte tenu du grand nombre de personnages qui se trouvent dans le même cas, on peut considérer que le pouvoir de l'intendance (autrement dit du monarque présent dans la province) ne se conçoit pas sans l'appui des « mafias » urbaines dont ces puissants font partie. Elles sont capables de se faire respecter ; intimidantes et postées aux chaînons stratégiques du social, elles renforcent du même coup l'administration monarchique, dont elles forment officieusement le bras séculier. L'intendant d'Alençon est trop heureux d'utiliser les services de toutes sortes que peut lui rendre un Surlandes. Ces chaînes de complicités urbaines contribuent à tisser les réseaux d'autorité qui subordonnent la ville à l'État et la campagne à la ville.

Pour que de tels liens et tant d'autres puissent s'établir, un minimum de population urbaine est indispensable : le bon fonctionnement de la monarchie classique et des autres institutions dirigeantes (Église, etc.) à partir de la fin du XVe siècle requiert objectivement qu'au moins 10 % de la population du royaume soit concentré dans les villes, où sont situés les principaux organismes de pouvoir, de négoce, de domination religieuse, etc. Du reste, ce minimum incompressible sera progressivement dépassé au cours des siècles, et de beaucoup : vers 1725, 16 % des « Français » vivent dans des villes de plus de 2 000 habitants. Et les pourcentages peuvent dépasser 45 % dans les trois généralités (Lyonnais, Forez et Beaujolais) que dominent parmi de nombreuses petites villes, les grandes cités de Lyon et de Saint-Étienne.

A elles toutes, les villes françaises comptaient à peine plus de 10 % de la population « nationale » au début du XVIe siècle ; elles montent à près de 20 % vers 1788-1789. Cette croissance est particulièrement forte pour la capitale politique : Paris atteignait tout juste les 300 000 habitants à la veille des guerres de Religion. Mais l'ensemble formé par Paris et Versailles, où sont concentrés les services centraux de la monarchie, dépasse déjà le demi-million de personnes[12] à la fin du règne de Louis XIV.

Une telle masse humaine engendre nécessairement des effets d'excitation ou d'« induction » considérables, par quoi la monarchie classique embraie indirectement sur tout ou partie de l'économie nationale. Wrigley et Hayami, historiens des XVIIe et XVIIIe siècles, en ont fait la démonstration respectivement, pour Londres et Tokyo[13]. Mais Paris-Versailles et notre réseau de chefs-lieux régionaux ou sub-régionaux ne sont pas en reste : une noblesse de service ou d'oisiveté se concentre en ville, aboutissant à une dé-féodalisation du plat pays. Les consommations de luxe ainsi stimulées multiplient le nombre et la qualification des artisans dans le secteur urbain. Paris crée autour de soi les cercles d'une économie-monde, par impact ou ricochet du politique sur la production : tant le Bassin parisien à l'époque des Bourbons est progressivement remodelé par la demande de vin, bois, viande et blé, qu'exerce la capitale à la marge des fermes, par ailleurs auto-suffisantes*.

Paradoxalement, plus faible est la productivité agricole, plus nombreuses sont les exploitations rurales qui sont concernées par la demande centralisée de nourriture, boissons, combustible, etc. Il faut bien que les citadins mangent, s'habillent, se chauffent. Le primitivisme agricole n'éteint pas, il exacerbe au contraire l'effet de marché, quoi qu'en pensent nos économistes distingués. Un « zoning », ou système d'auréoles, se dessine ; des aires partiellement concentriques voient s'implanter des jardins et des vignobles de masse dans l'actuelle banlieue, des emblavures en Beauce, des herbages bovins en basse-Normandie**. Ainsi se matérialise la demande ou l'appel d'une très grande ville, d'une double ville, Paris et Versailles. Rien de tout cela n'eut été pleinement concevable si ne s'était manifestée d'abord dans cette conurbation jumelée, une essence politique et premièrement royale : la monarchie classique en France, c'est aussi la prairie du pays d'Auge ou le grand vignoble d'Argenteuil au temps de Louis XV. Des phénomènes d'entrepôt ou de « terminal » se produisent au long des fleuves qui ravitaillent de près ou de loin la capitale : Rouen sur la Seine, Orléans sur la Loire accomplissent cette fonction transitaire. Un flot croissant d'informations parcourt depuis les marchés d'Ile-de-France le territoire national et commence d'ajuster les uns aux autres les mouvements régionaux des prix agricoles. De bien d'autres manières, la grande ville souveraine rétroagit sur ses campagnes : le couple Paris-Versailles, puissamment peuplé, développe dans les zones céréalières du Bassin parisien, qui ravitaillent en grain la double cité, un groupe d'entrepreneurs agricoles : gros laboureurs et receveurs de seigneuries. Ils n'ont plus grand-chose à voir avec le paysan traditionnel « mulet de l'État », dont parlait volontiers Richelieu. Ce docile animal était censé produire tout au plus sa subsistance et celle de sa famille. Pour le reste, il était fermement prié de payer ses impôts sans trop se plaindre, et de ne pas faire autrement parler de lui. En fait dès l'époque du ministre-cardinal, le

* La plupart des fermes, surtout les petites, se consacrent d'abord à nourrir la famille de l'exploitant et le village proche ; elles ne peuvent contribuer que « marginalement » au ravitaillement des villes.

** Ces grands « vignobles de masse » (pour la production des vins courants) font contraste avec les vignobles de qualité qu'on trouve déjà en Bourgogne, etc. Le gras herbage à bœufs en Normandie est techniquement « en avance » sur les maigres pâtures traditionnelles.

groupe des grands fermiers des pays de limon, branchés sur les marchés frumentaires de la capitale, fonctionnait déjà de façon efficace. L'image du « mulet de l'État », pertinente peut-être pour d'autres régions, était largement dépassée, à propos de cette élite fermière (une telle remarque serait encore plus vraie, s'agissant des riches *farmers* du bassin de Londres : ils travaillent eux aussi pour les besoins d'une métropole ; ils sont même plus avancés, au point de vue technique, et plus fournis en capital que ne sont leurs homologues français). Nouvel avatar de la « main invisible »* ; la monarchie classique façonne, sans le vouloir, un nouveau type rural d'*homo oeconomicus* ; le gros paysan économiquement motivé se situe dorénavant par-delà les purs et simples besoins de la subsistance et de l'impôt ; il prolifère au-dessus de la plèbe campagnarde, dans les bassins sédimentaires et fertiles qui environnent les capitales d'Occident.

Au vu de tels phénomènes, le concept de monarchie classique doit s'incorporer les effets induits qu'il engendre hors de son propre domaine et dans le champ économique ou social. Ces effets se répercutent à leur tour sur les structures politiques du pouvoir local, diffuses dans l'ensemble de la société : elles sous-tendent le fait étroit des institutions monarchiques. Soit la communauté villageoise déjà envisagée : dans l'aire du Bassin parisien, elle se modernise à sa manière. Les laboureurs, marchands, artisans[14] que stimulent la croissance monarchique de la capitale et l'essor corrélatif du marché, forment plus que jamais l'ossature vigoureuse du corps politique des municipalités, décisif au plan micro-territorial.

La monarchie, par ce biais comme par celui du fisc (voir *supra*), est donc multiplicatrice de pouvoir local, paralogisme qui n'est qu'apparent, s'agissant d'un pouvoir souverain qu'on dépeint trop vite comme centraliste envers et contre tout. En fait, par l'excitation qu'il provoque à l'égard des échanges, l'État infuse un sang nouveau dans la communauté paysanne ; elle est pilotée maintenant par des villageois plus « mercantiles », dont les attitudes ne sont plus tout à fait celles de leurs ancêtres. Elle demeure, pour les gens du roi, interlocutrice auto-déterminée et privilégiée.

Une autre espèce de communauté fonctionne également vis-à-vis de l'État royal comme faire-valoir et même comme partie prenante. C'est la guilde, négociante ou artisanale ; la corporation, communauté ou jurande, voire confrérie de métier : la prise en considération des divers groupements professionnels permet d'aller au-delà du simple truisme selon lequel la monarchie classique ne peut se développer convenablement que dans un milieu social où grands marchands et petits artisans se rencontrent nombreux.

Les guildes se développent beaucoup en France depuis la phase de renaissance qui fait suite à la guerre de Cent Ans. Vaches à lait de la puissance monarchique ! Elle leur soutire[15] des taxes variées, sous prétexte d'amendes, cotisations, octroi initial des statuts, etc. Simultanément, le monarque offre aux jurandes et guildes une légitimité en contrepartie de la prestation financière qu'elles lui assurent. Elles en tirent prestige et cohésion dans la ville, parcourue à date fixe, en bon ordre, par la procession civique et religieuse des maîtres d'échoppe et de boutique. Une fois de plus, la monarchie n'étouffe point dans ce cas, mais accroît jusqu'au fond des provinces la créativité multiple, communautaire et foisonnante des métiers jurés, qui

* La « main invisible » d'Adam Smith (*Richesse des nations*, IV, 2) est la résultante de forces involontaires qui, dans le domaine du marché, de l'économie, etc., produisent d'heureux effets pour la population.

seront longtemps facteurs de croissance. Ils ne deviendront que plus tard les freins malthusiens, qui seront dénoncés comme tels par Turgot.

En bref, la monarchie ne se conçoit point sans un mât tripode et communautaire au sommet de quoi elle se juche : elle fédère en faisceau les communautés de village, de ville, de métier.

Après ces quelques données sur les « substructures » de l'institution monarchique, je voudrais ouvrir la boîte noire et décrire non point le détail des mécanismes, mais l'économie générale des rouages et des ressorts : ils font mouvoir l'institution et lui donnent prise sur la société globale. Distinguons les modes d'appropriation ou de jouissance du pouvoir monarchique, et d'autre part le style de travail de ses organismes.

Parmi les modes d'appropriation et de jouissance, s'individualisent les offices, les fermes, et enfin l'usage des commis salariés qui annoncent nos bureaucrates modernes.

L'office, écrit Roland Mousnier[16], permet à son détenteur de remplir à la décharge du roi « des fonctions essentiellement liées aux juridictions et à l'administration de celles-ci ». L'office existe en vertu d'un édit ou de « lettres de provision ». Il ne peut être créé que par le roi ou par ses agents dûment mandatés. (Dans certains cas, néanmoins, il peut émaner d'une grande seigneurie, hors de la stricte puissance du souverain.) L'office confère honneur et privilèges, y compris éventuellement la noblesse et l'exemption d'impôts. Il est rémunéré par épices et par gages : ceux-ci, faibles, peuvent ne correspondre qu'à 2 % de la valeur en capital de la charge qu'ils stipendient. L'office est stable : le roi ne peut destituer l'officier qu'assez difficilement, et cela limite d'autant l'arbitraire de la monarchie dite absolue. L'office « arrête le pouvoir par le pouvoir ». Il évoque à l'avance le rôle d'autres institutions judiciaires ou para-judiciaires qui feront obstacle à l'exécutif et au législatif dans nos modernes démocraties : action de la Cour suprême et plus généralement des tribunaux aux États-Unis ; inamovibilité des juges, arrêts du Conseil d'État et décisions du Conseil constitutionnel dans la France contemporaine.

Au faîte de sa carrière historique (XVIIe-XVIIIe siècle), l'office, de façon légale, peut être acheté en toute propriété par celui qui deviendra son titulaire, puis il sera revendu, ou légué, hérité... La création d'une taxe annuelle appelée *Paulette*, régularise depuis 1604 ces transmissions héréditaires. Les besoins d'argent de la monarchie pendant les guerres du XVIIe siècle et par-delà celles-ci assurent la longue survivance dudit droit annuel. Offices et officiers se multiplient en France entre le début du XVIe siècle et l'époque de Colbert. Cette prolifération peut s'envisager sous l'angle opportuniste des besoins de l'État : de Louis XIII à Louis XIV, il crée et brade sans cesse de nouveaux fragments de puissance publique. Il les lotit à des candidats acquéreurs, afin de remplir ses coffres. Simultanément se posent des questions de principe : ce qui se poursuit de la sorte, c'est la croissance de l'État monarchique, et l'encadrement toujours plus poussé de la société par celui-ci. Il y a au minimum 4 041 officiers, en fait 5 000 au total dans le royaume en 1515. Mais 46 047 officiers en 1665, un quasi-décuplement[17]. L'abolition des offices, décrétée par le despotisme éclairé de Frédéric II en Prusse, sera manquée en France par les réformes sans lendemain des années 1770 ; elle sera finalement réussie par la Révolution de 1789. Au XVIIe siècle l'office, autant et plus que la manufacture, fut l'un des grands terrains d'investissement de la bourgeoisie française.

Très tôt, le système des offices s'est diversifié, du moins dans ses sommets : à Paris (flanqué sur le tard par Versailles), on trouve une robe du Parlement, peuplée d'officiers de la haute magistrature ; et une robe du Conseil* formée d'officiers eux aussi, mais qui sont largement engagés dans le groupe suprême de la Décision ; on les appelle maîtres des requêtes ; ils forment avec les conseillers d'État, les ministres et secrétaires d'État, et les intendants des provinces l'essentiel du pouvoir souverain directement émané de la majesté royale. Pierre Goubert a parlé en ce qui les concerne d'une classe politique, et Pierre Chaunu, d'une technostructure[18] ; cette expression vaut, pour autant que les « décideurs » ne s'en remettent pas dans les faits à de simples commis ou clercs, pour le gros des tâches d'exécution, même et surtout quand celles-ci concernent l'essentiel.

Après l'office, vient le réseau des *fermes*. Disons en paraphrasant Roland Mousnier[19] qu'aux termes de celles-ci, « le roi afferme le revenu de ses impôts principalement indirects et de ses domaines à des fermiers ». Remarquons au passage le mot « domaine » : le monarque, au départ, s'est simplement comporté à l'image des grands seigneurs et propriétaires fonciers d'Ancien Régime, au Nord de la France ; ceux-ci trouvent normal de donner leurs droits et surtout leurs terres en bail à un ou plusieurs fermiers pour s'épargner les soucis de l'exploitation directe. De ce point de vue, la monarchie adopte une conduite *patrimoniale* (selon l'expression de Max Weber). Donc le roi « concède son droit fiscal ou domanial pour un temps limité *(bail)*, en échange d'un loyer annuel et forfaitaire. La différence entre la somme que le souverain reçoit de ses fermiers et le revenu que ceux-ci perçoivent effectivement des contribuables et redevables, diminué des frais de perception incompressibles, « constitue le profit propre desdits fermiers ». C'est précisément celui-ci qui les incite à se lancer dans une telle opération. L'État est donc déchargé des soucis et dépenses de recouvrement des impôts, mais il est souvent volé par ses fermiers, contre lesquels il sévit de temps à autre par le biais d'une banqueroute ou d'un tribunal exceptionnel appelé chambre de justice. Les fermiers émettent, en anticipation de leurs recettes, des billets négociables : ceux-ci favorisent le développement du crédit, menacé de temps à autre par les banqueroutes précitées. L'émiettement de ces « fermes » françaises au XVIe siècle est peut-être préjudiciable à la bonne rentrée de l'impôt. Dès 1559, on tente un regroupement des fermes financières du roi[20], sous la forme d'une « ferme générale ». Ces tentatives anciennes se concrétisent au temps d'Henri IV avec les « cinq grosses fermes » de Sully, suivies par d'autres « amalgames » à l'époque de Louis XIII et de Colbert. Les fermes embrassent les vastes secteurs de l'impôt du sel *(gabelle)* ; des *traites*, autrement dit douanes intérieures et extérieures ; des *aides*, ou taxes de consommation sur les vins, cidres et eaux-de-vie ; du *domaine* royal, lui-même divisé en domaine corporel (terres, seigneuries, forêts) et incorporel (droit de timbre et, à partir de la fin du XVIIe siècle, contrôle des actes des notaires). Aux fermiers qui prennent en charge ces entreprises il faut ajouter les traitants et partisans, qui se chargent d'affaires dites extraordinaires (ventes d'offices, refontes de monnaies...). Elles sont destinées à renflouer les recettes « budgétaires »[21] de Sa Majesté en temps de guerre. Ajoutons enfin, avec Roland Mousnier[22] les simples, mais substantiels *prêteurs d'argent* qui à l'occasion se mettent au service de l'État momentanément obéré. Et puis, les « donneurs d'avis » : ceux-ci con-

* On est confronté ici au contraste entre le Parlement, tribunal suprême dans une vaste région (parisienne en l'occurrence) et le Conseil du roi cristallisé autour du Conseil d'en haut, précurseur de notre actuel Conseil des ministres.

çoivent l'idée d'une nouvelle taxe ; elle est destinée à faire rentrer du numéraire ou du crédit dans le « Trésor » royal[23]. En cas d'acceptation et de succès de leur démarche, ils sont rémunérés d'une façon ou d'une autre par les agents du monarque. L'ensemble desdits personnages (fermiers, traitants, partisans et donneurs d'avis) forme ce qu'on appelle le groupe des financiers ; ils sont beaucoup plus liés à l'État que ne le seront aujourd'hui leurs homonymes. Les financiers d'Ancien Régime s'organisent autour du système de la Ferme, en anneaux concentriques, sans se confondre tout à fait avec lui.

Daniel Dessert a détruit l'image d'Épinal du financier ou du fermier général « sorti de rien », enfant de valet ou petit laquais lui-même en ses débuts, puis devenu richissime, et resté vulgaire au suprême degré ; en fait, les financiers sont souvent nés de personnages qui furent eux-mêmes anoblis, eux ou leurs ascendants, au service du roi ; à défaut de telles origines, les financiers ne se privent pas d'acquérir de bonne heure, au cours de leur carrière, un statut noble, par l'achat d'un office *ad hoc*. Loin d'être riches à millions, ils sont maintes fois endettés, à l'exemple de Fouquet. Certes ils voient passer entre leurs mains d'énormes sommes destinées au roi ou à ses fournisseurs ; mais elles leur filent entre les doigts. Ils ne pratiquent pas nécessairement l'accumulation primitive du capital, même s'ils la souhaitent. Ils sont simplement partie prenante, et plus d'une fois partie perdante au grand système du débit-crédit qui caractérise les affaires fiscales. Daniel Dessert voit dans cette haute finance un des quatre ou cinq « piliers » qui soutiennent l'édifice monarchique. Parmi eux, la grande aristocratie de cour et d'épée ; la haute fonction publique des « décideurs » (robe du Conseil) ; les magistrats les plus huppés (robe du Parlement) ; et la finance. Ces divers groupes sont alliés les uns aux autres par des mariages, conclus selon le principe (majoritaire, pour le moins) de l'hypergamie féminine. (Substantiellement dotées, les filles de financiers épousent des fils de magistrats ; et les filles de magistrats convolent avec de jeunes aristocrates, bien placés sur l'échelle sociale.) L'alliance entre milieux dirigeants fleurit aussi dans le marché commun de l'épiscopat*. S'y retrouvent les pieux messieurs voués au célibat, qui naquirent de ces diverses fractions des classes dominantes.

Le quadripartisme (approximatif) de l'élite, ainsi mise à plat sous les regards de l'historien, ne saurait faire oublier certains stéréotypes dépréciateurs : au gré de l'estime publique, un magistrat de « vieille roche » représente plus qu'un financier ; et un seigneur de la cour pèse davantage qu'un magistrat important, du moins jusqu'à la fin du XVIIᵉ siècle.

Ce dédain vise les grands robins, éventuellement snobés par la noblesse de Cour. Il vaut *a fortiori* pour les financiers, destinataires d'une estime sociale qui s'avère moindre encore : *Il faut du fumier sur les meilleures terres*, disait Madame de Grignan à propos des noces de son fils, qui épousait la fille richement dotée d'un fermier général. Quant à la duchesse de Chaulnes, elle déclarait à son fils, duc de Picquigny, qui venait de convoler avec la fille de l'opulent financier Bonnier : « Bon mariage, mon fils (...). Il faut bien que vous preniez du fumier pour engraisser vos terres[24]. » Cette fois, s'agissant de financiers, la mésestime sociale va jusqu'à évoquer le caractère fécal de leur richesse, comme manipulateurs du fisc et du crédit royal. Épithètes excrémentielles ou de fumure, également infligées aux bâtards[25]. Sans aller aussi loin dans le mépris, on admettra que classer ou taxinomiser, c'est hiérarchiser. Distinguer parmi les serviteurs ou les suppôts de la monarchie

* L'épiscopat, à l'échelle nationale, constitue en effet une réserve de postes prestigieux et lucratifs où se donnent rendez-vous les rejetons, d'abord ordonnés prêtres, des quatre fractions de l'élite dirigeante (noblesse de cour et d'épée, robe du Conseil, robe des cours souveraines, et finance).

entre les grands aristocrates, les officiers et les financiers, c'est aussi situer les uns et les autres au long d'une échelle des valeurs à laquelle se rallient les contemporains. Celle-ci peut s'appuyer sur des anecdotes plus ou moins exactes[26] et s'inscrire néanmoins au plus profond des mentalités de l'époque. La France, de ce point de vue, n'est pas seule en cause : les attitudes « antifinancières » en Angleterre, Espagne ou Autriche n'étaient guère différentes des nôtres[27].

Géographiquement, les fermes d'impôts sont à l'œuvre en plus d'un royaume. Historiquement, leur force, en France, grandit au rythme même de la croissance de l'État : sous Mazarin, les impôts indirects font moins du quart ou moins du cinquième des recettes de l'État. Sous Colbert, et par la suite, ils atteignent et quelquefois dépassent la moitié de celles-ci[28].

A certains égards, le roi qui distribue fermes et offices fait penser, répétons-le[29], à un grand propriétaire foncier de type semi-seigneurial. Ce hobereau donne à gros bail court (la « ferme ») une partie de ses terres. Il lotit à tenures perpétuelles ou à plusieurs vies, moyennant finances, une autre portion de son bien, quitte à ce que ses descendants récupèrent plus tard, et non sans mal, les nombreuses tenures ainsi parcellisées, après plusieurs générations d'emphytéotes*. Fermiers agricoles et tenanciers autour des gros agrariens. Fermiers généraux et officiers dans l'environnement des monarques successifs...

Après ces officiers, fermiers et financiers, mentionnons un troisième type, et de grand avenir, des serviteurs de la monarchie. Cette nouvelle catégorie, à son tour est subdivisible : elle concerne les commissaires et les commis qui respectivement préfigurent nos hauts fonctionnaires et nos fonctionnaires (mais pour filer à nouveau la métaphore domaniale, on remarquera que les grands propriétaires seigneuriaux d'Ancien Régime qui viennent d'être évoqués, ont eux aussi à leur disposition des commis salariés, en plus de leurs tenanciers et fermiers).

Les commissaires royaux, comme leur nom l'indique, ont reçu du souverain, par lettres patentes, le pouvoir de s'acquitter de certaines tâches fonctionnelles, en vertu d'une « commission ». Parmi eux figurent les ambassadeurs, les conseillers d'État, les gouverneurs des provinces, leurs lieutenants généraux, et les intendants des généralités régionales. Certains de ces personnages, avant l'octroi de leur commission, jouissaient d'un statut d'officier. Il en va ainsi pour les intendants qui maintes fois émergent du vivier des maîtres des requêtes. Selon les cas, ils peuvent (ou non) cumuler les gages de leur office, et d'éventuels appointements, afférents à leur nouveau statut de commissaires. Les commis plafonnent en général à un niveau nettement inférieur par rapport à ceux-ci. (Mais il y a des exceptions : un Pecquet, qui fut commis aux Affaires étrangères sous Louis XIV et la Régence, fait figure de véritable décideur, certes moins important que ses patrons Torcy ou Dubois, mais nullement négligeable.) La situation des commis de la monarchie n'est pas très différente de celles des fonctionnaires aux XIXe et XXe siècles, à ceci près que leur titularisation, jusqu'à Louis XV et Louis XVI, reste de fait plutôt que de droit. « Ils reçoivent en effet des appointements hiérarchisés selon l'ancienneté, des gratifications annuelles, des gratifications exceptionnelles lorsqu'ils s'installent à Versailles, lorsqu'ils se marient

* Les tenanciers d'un seigneur sont emphytéotes, dans la mesure où ils jouissent des petits héritages ou « tenures » que la famille dudit seigneur leur a concédés, à eux et à leurs descendants, pour une très longue durée, moyennant le versement, à son profit, d'une redevance généralement légère.

ou marient leurs filles, des primes perçues à vie, franches de toutes impositions, pour leurs services. Leurs pensions de retraites sont parfois égales au traitement, et sont alors dénommées "appointements conservés", avec réversibilité d'une partie sur la veuve et d'une autre sur les enfants[30]. » Le système des commis répond déjà jusqu'à un certain point aux exigences spécifiques de la bureaucratie. Les intéressés, en effet, prennent place dans une hiérarchie de statuts : tel « premier commis », à Versailles, se détache nettement du reste du peloton. L'activité qu'ils exercent tient à leurs compétences techniques et juridictionnelles ; le recrutement tend à s'effectuer selon des critères en voie d'universalisation qui diminuent le rôle de la naissance nobiliaire et même du favoritisme. Les revenus sont de type salarial. Non pas prébendes, ni profits, mais traitements : ils permettent aux récipiendaires « de mener une vie honorable et décente en accord avec les exigences de leur rang[31] ».

Il a paru légitime, ici, de classer ensemble les commis et commissaires, sous la rubrique du fonctionnariat en formation. Certes, la distance sociale pouvait s'avérer grande entre ceux-ci et ceux-là. Les intendants de généralités regardaient de haut les modestes commis, voire gratte-papier qui peinaient au plus bas de la pyramide, dans les bureaux administratifs, à Paris ou en province. Et pourtant, ces deux groupes étaient déjà modernes, par rapport aux structures officières et fermières, empreintes d'archaïsme institutionnel. Le Consulat de Bonaparte scelle rétrospectivement la communauté de destin entre commissaires et commis : il consacre la fin des offices et des fermes, décrétée par la Révolution. Il assure le triomphe d'une bureaucratie hiérarchisée de fonctionnaires salariés, issus des commis du vieux système. Il installe les préfets sur un piédestal qui sera bi-séculaire : ces hauts fonctionnaires prolongeront et accroîtront les rôles des commissaires intendants de généralités, tels qu'ils sévissaient déjà lors de la culmination d'une monarchie classique.

Celle-ci s'avère donc organisme composite, où se coudoient l'office, la ferme et le fonctionnariat. Le style de travail de la royauté, lui aussi, regarde vers un certain passé, davantage qu'il n'est porteur d'avenir. La monarchie classique aime les prises de décision qui s'effectuent au terme de sessions délibératives, dans le Conseil d'en haut et dans les autres *conseils* de gouvernement, parmi les compagnies des cours de justice ou des élus, etc. La société locale, qu'elle soit civile ou religieuse, n'est pas en reste. Voyez ses délibérations multiples : elles animent les conseils de ville, les chapitres de chanoines... En Espagne, le gouvernement par conseils est largement répandu : on y connaît en 1721 les conseils de Castille, des finances, des Indes, de la marine, des ordres, de la guerre[32], etc. En France, la Polysynodie de 1715 n'est pas innovation radicale, mais tentative d'extrapolation : les conseils qui déjà n'étaient pas rares, sont simplement multipliés, ouverts à l'aristocratie et accrus en pouvoir. Certes, en 1718, l'expérience polysynodique tournera court. Mais le pouvoir central (en principe...) demeurera acquis au traditionnel « Conseil du roi », avec ses subdivisions canoniques.

En époque monarchique, il existe pourtant un autre mode de décision, non collectif. Il règne dans l'armée, par chaînes de décisions individuelles et autoritaires ; elles tombent en chute raide, sur la pente verticale des grades et des commandements. Tout au plus voit-on les grands chefs et parfois le roi lui-même, à la veille d'une bataille, délibérer collectivement, le cul sur la selle, cependant que leurs chevaux forment cercle, croupe au dehors, mufle au dedans. Là aussi, on attendra souvent* la disparition de la monarchie d'Ancien Régime, pour qu'enfin le style solitaire de la décision franchisse les bornes de la soldatesque et contamine la puissance civile. Les liens de pouvoir que Bonaparte mettra en place, à travers les ministres, préfets, sous-préfets et leurs subordonnés rompront avec mainte habitude de direction collégiale. De haut en bas, elles répercuteront les décisions autoritaires de personnalités responsables, y compris dans le domaine non militaire.

En bref, la monarchie classique apparaît, au titre du pouvoir et de la souveraineté, comme une image hyperbolique de la société globale : comme un raccourci pédagogique de celle-ci, dans lequel les élites et en particulier la noblesse sont sur-représentées, au point d'éliminer les paysans et de mettre en minorité les bourgeois ou petits-bourgeois. Il va de soi que les créatures directes du monarque conservent dans les sommets de l'appareil royal, au prix de vastes frustrations chez autrui, maint levier essentiel. A cette restriction près, les nobles de service, d'épée, de cour, de finance, de plume, de magistrature et de prélature monopolisent ou peu s'en faut les étages supérieurs de l'institution. Ils collaborent sans trop de problèmes au sein de l'establishment officiel ou officieux avec une minorité de non-nobles qui sont de haut niveau, et cela à l'intérieur de spécialités diverses, telles que robe, plume et finance. Ces oligarques sont divisés entre eux quant aux buts stratégiques et à la culture. Ils n'obéissent pas seulement à d'étroits intérêts de classe qui seraient sottement calqués sur les besoins de l'aristocratie. Les services de base du système royal, d'autre part, sont assurés, notamment en province, par des agents maintes fois roturiers, qui ne sont pas simples exécutants. Leur pouvoir local s'avère considérable. Des conflits sociaux d'espèce variée se reproduisent *à l'intérieur* de l'appareil monarchique ; ils reflètent et interprètent à leur guise les contradictions qui divisent la collectivité générale, non étatique.

Jusqu'à présent, nous n'avons considéré la monarchie classique qu'en elle-même ou dans son rapport avec les sociétés qui l'environnent. Elle est liée aussi, et de façon étroite à la technologie de son temps, celle-ci à son tour étant inséparable des relations sociales. J'envisagerai ici trois domaines de la technique, intimement connectés aux institutions. D'abord les armes à feu, et inévitablement l'armée permanente. Ensuite les médias : papier (ancien) et surtout imprimerie (récente). Enfin les importations de métal précieux, or et argent ; elles impliquent une certaine ambiance technologique ; celle-ci concerne l'art des mines, euro-américaines ; et l'art de la navigation trans-atlantique, cependant qu'en aval apparaissent d'énormes répercussions au plan de la fiscalité, et des réactions hostiles qu'elle suscite.

Armes à feu et militarisation d'une partie de la société : les nouvelles méthodes du tir à tuer comme à détruire, et les masses d'hommes spécialement dressés qui les utilisent constituent de puissants atouts pour la monarchie classique à partir des XVe et XVIe siècles. La royauté espagnole leur doit pour une part la conquête du Mexique. Le Japon leur est peut-être redevable de son unité nationale, ou du moins shogûnale : celle-ci se réalisa progressivement pendant le second XVIe siècle à partir de combats qui très tôt mirent en jeu jusqu'à

* Mais pas toujours : le rapport de Richelieu aux intendants des généralités est déjà (à mainte reprise) basé sur le commandement autoritaire plus que sur la délibération collective.

10 000 arquebuses plagiées des modèles portugais[33]. Pour la France, la corrélation est nette entre l'avènement de notre monarchie classique depuis la fin de Charles VII jusqu'au terme du XVe siècle et le développement d'une armée permanente, puissamment équipée de bouches à feu ; elles sont déjà fort efficaces sous Charles VIII. Augmentation de la puissance de tir, hausse des effectifs : au XIVe siècle, le noyau durable de l'armée royale *en temps de paix* comptait seulement 2 000 hommes ; mais 10 000 à 15 000 après 1450... et 135 000 au XVIIIe siècle (toujours pendant les périodes pacifiques). Les nombreux militaires désormais sont soldés à rythme régulier (en principe). Ces soldes sont hiérarchisées selon le grade, et non plus selon les statuts des officiers plus ou moins nobles. Des corps de spécialistes apparaissent dans l'artillerie, dans la fabrication des poudres, etc. Les dépenses militaires de la monarchie s'élèvent ; elles expliquent pour une grosse part l'accroissement des charges fiscales. Les frais d'armée[34], difficiles à chiffrer, atteindraient déjà un tiers du « budget » royal sous Henri IV, la moitié sous Louis XIV (et jusqu'à 70 % en temps de guerre). L'armée royale avec sa force de feu considérable, à base d'armes légères ou lourdes, s'élève à 300 000 hommes pendant une forte guerre (ainsi vers 1710) ; l'unité de base pour l'armée permanente d'une grande puissance européenne, même en paix, s'en tenait au millier d'hommes pendant le XIVe siècle, mais à la dizaine de milliers durant la Renaissance, et à la centaine de milliers au XVIIIe siècle. En temps de guerre, pendant les quelques grands conflits de la fin de Louis XIV et du règne de Louis XV, un adulte mâle et français sur six ou sept est régulièrement ou épisodiquement actif dans l'armée ; il y joue le rôle de soldat durable, ou de milicien, ou simplement de requis temporaire. D'un bout à l'autre de la période envisagée, le progrès technique est jalonné par les noms des grands administrateurs de l'artillerie comme Bureau (mort sous Louis XI), l'homme des canons de bronze, des couleuvrines et du lent déclin des forteresses médiévales. Et puis Gribeauval : au déclin de l'Ancien Régime, il donne au royaume les canons que l'Europe jalousera sous le Premier Empire.

*A*nciens et nouveaux médias. Autre série d'innovations technologiques, et dont l'incidence est forte vis-à-vis de la monarchie classique : les systèmes médiatiques. Ils apparaissent, non sans décalages, à la fin de l'époque médiévale : il s'agit du papier, et de l'imprimerie, bref la « galaxie Gutenberg ». Écrivassière, la royauté française l'était depuis le XIVe siècle, peu après l'introduction du papier. Dans la période suivante, les moulins à papier sont nombreux dans le bassin de Paris ; ils fournissent la matière première aux organismes d'État, ou apparentés : le Parlement et la Sorbonne sont consommateurs d'écritures et producteurs d'archives. L'imprimerie sous Louis XI vient d'outre-Vosges. Immédiatement elle est centralisante, ou plutôt « bi-centraliste » : elle fleurit à Paris bien sûr, où les organisations locales, qu'elles soient officières, étatiques ou universitaires, en font large usage. Simultanément, elle se développe à Lyon, porte du Sud ; elle inonde les terres occitanes d'impressions lyonnaises, donc francophones ; elle assure la conversion du Sud au langage officiel du pouvoir, bref au français. En cela, elle est plus efficace que les ordonnances royales, seraient-elles de Villers-Cotterêts[35]. Le XVIIe siècle verra, surtout dans l'agglomération parisienne, le regroupement des imprimeurs, actifs et prestigieux ; ils renouvelleront ainsi l'union, souvent consommée, de leur métier avec l'État. De bonne heure, ce mariage a des aspects répressifs : dès la fin du XVIᵉ siècle, on met en place une censure officielle ; on décrète, procédure à double tranchant, l'octroi de permissions, monopoles et privilèges royaux pour l'impression des livres ; les auteurs, de ce fait, sont à la fois protégés et brimés. Les nouveaux médias sous-tendent la diffusion d'un savoir universitaire, collégial, et même primaire ; il est indispensable pour la formation des officiers de haut vol ; et pour celle des agents modestes, aux ordres de l'État ou des communautés. Le nombre de ces hommes, aux divers niveaux, augmente beaucoup. La monarchie classique, porteuse et désireuse d'un minimum d'éducation, est contemporaine d'un peuplement dans lequel 10 % des mâles, au moins, sont capables de signer ; en soi ce pourcentage n'est qu'un symptôme ; il révèle l'initiale diffusion de quelques Lumières, même fuligineuses ou tamisées ; il implique une vogue croissante et sous-jacente de l'imprimerie. Cette proportion d'hommes éduqués grandit de façon assez constante, au fil des siècles ; elle approche en fin de parcours, au temps de Louis XVI, les 50 % d'adultes mâles sachant signer ; on entre alors dans une zone dangereuse, orageuse : la somme des frustrations qu'engendre la suréducation relative d'hommes trop bas placés dans l'échelle sociale tend à dépasser la somme des avantages que retire l'État de ce capital sans cesse accru d'instruction publique. La monarchie classique risque alors d'être engloutie par un maelström éducatif dont elle avait accepté, sinon encouragé la mise en place. La chose est à double détente : l'imprimerie et l'éducation vis-à-vis de l'État furent longtemps stimulatrices. Elles deviennent finalement déstabilisatrices. De toute manière, certains besoins sont incompressibles : la royauté, du XVIᵉ au XVIIIᵉ siècle, fait largement usage de l'affichette à nombreux exemplaires, de la circulaire et du formulaire administratif, tous trois sortis des presses et des ateliers. Pas de fonction publique, même et surtout royale, qui n'ait ses imprimeurs, officiels et officieux.

Métaux précieux. Après les armes à feu et les nouveaux médias, le troisième « bond en avant » dont bénéficie la monarchie classique, concerne les monnaies, disponibles en quantités beaucoup plus grandes. Il peut s'agir de l'usage élargi des nouveaux instruments créditeurs : les lettres de change seront fort utiles pour le transport d'une recette fiscale de la province à la capitale ; or elles existaient pour les besoins du commerce, dès le XIVᵉ siècle. Elles connaîtront quelques perfectionnements supplémentaires[36] du XIVᵉ au XVIIIᵉ. Les changements de base pourtant ne concernent pas la circulation du « papier » même bancaire, mais les masses de métaux précieux dans les trésoreries publiques et privées. Les contrastes de conjoncture longue et même ultra-longue sont capitaux à cet égard. Soit la crise des XIVᵉ et XVᵉ siècles, suivie d'une renaissance et d'une expansion qui s'épanouissent au beau XVIᵉ siècle. On a souligné à ce propos la causalité démographique : dépopulation de 1348 à 1450, puis reprise et récupération jusque vers 1560. Mais les facteurs monétaires ont eux aussi leur importance.

L'essor de la monarchie classique, sur la base d'une fiscalité accrue et plus régulière à partir de la seconde moitié du XVᵉ siècle, implique la fin des carences chroniques d'or et d'argent ; elles sont abolies sur le tard grâce à toute une panoplie d'initiatives partiellement technologiques. Une énorme crise des liquidités, grande famine monétaire, avait sévi entre 1395 et 1415. Les causes en étaient plus ou moins proches : le bilan commercial[37] de l'Europe avec l'Orient depuis l'an mil fut toujours déficitaire par suite des achats d'épices, de soies et de perles, par suite aussi des pèlerinages, des croisades, des rançons ; cette mauvaise balance commerciale s'était effondrée plus bas encore vers 1400, du fait des désastres internes de l'Occident accompagnés, ce qui n'arrangeait rien, par les achats croissants d'épices, et par l'assèchement de l'or soudanais. En France, guère différente sur ce point de l'Angleterre, de l'Espagne, de l'Italie, de la Flandre et de la Bourgogne, la pire décennie, la plus désargentée, avait coïncidé avec les années 1392-1402. A Brioude, au cœur d'un Massif central profond et isolé, on en était réduit à frapper des monnaies de plomb vers 1423-1425 ! Pour la totalité de l'Europe occidentale, les stocks de métaux précieux se sont affaissés, chiffre approximatif, de 2 000 tonnes d'équivalent-argent vers 1340 à 1 000 tonnes vers 1465. Par contraste, l'essor qui suivra ces plongeons est extraordinaire ; il « pulvérise » tous les records antérieurs : l'Angleterre, à elle seule, aura 1 100 tonnes de stocks d'équivalent-argent en 1700 ; la France, où les premiers signes de reprise se sont nettement manifestés dès le règne de Louis XI, en sera à 2 500 tonnes vers 1700, dont 40 % seront recyclés annuellement dans le budget de l'État. Toute l'Europe en 1809 se tiendra à 50 000 tonnes d'équivalent-argent, soit cinquante fois plus qu'au pauvre XVe siècle et vingt-cinq fois plus que pendant le « riche » ou disons le moins pauvre XIVe siècle. L'argent allemand et hongrois, puis l'or des Antilles, successivement, ont ainsi « sauvé » l'Occident de 1460 à 1530 ; ce fut ensuite le tour de l'argent péruvien et mexicain entre 1560 et 1625. Puis, après quelques pannes au XVIIe siècle, moins graves qu'on ne l'a dit, l'or du Brésil et derechef l'argent mexicain prendront le relais dans les années 1720-1780. Tout cela ne se conçoit pas sans vastes progrès technologiques, sans « grandes découvertes » aussi, au sens usuel de ce terme : la technique des mines profondes s'améliore dès la première Renaissance ; les ingénieurs et publicistes allemands portent témoignage d'un tel progrès au XVIe siècle. Les explorations transocéaniques, d'autre part, et l'amalgame au mercure, rendent possible, dans les années 1500-1570, une première mise en perce des trésors du Nouveau Monde, notamment argentifères.

Ces données techniques et « métalliques » placent dans une perspective nouvelle le devenir de la fiscalité. Certes, celle-ci est fort ancienne, et l'on admettra que les États monarchiques, France incluse, « sont graduellement passés de l'impôt exceptionnel de guerre à l'impôt régulier de guerre, puis à l'impôt régulier de paix, *évolution pratiquement achevée en 1360*[38] ». Mais de la proclamation d'un principe à la multiplication des moyens réels, la marge est grande. Elle ne sera réellement franchie que plus d'un siècle après cette date fatidique de 1360. Reprenons les choses d'assez haut : sous Philippe le Bel (1285-1314), avant même la grande mutation fiscale mais purement juridique des années 1350-1360, les revenus totaux de l'État atteignent 46,4 tonnes d'équivalent-argent dont 39 % fournis par le domaine, le reste (déjà majoritaire) étant apporté par « l'extraordinaire », autrement dit par les impôts encore irréguliers de l'époque. En 1355-1356, les sommes votées par les assemblées d'États (non compris le domaine) atteindraient 24 tonnes. Dans les années 1430, la France mutilée de Charles VII donnerait 52,5 tonnes. Le royaume réunifié du même Charles VII, en fin de règne, se situe à 75 tonnes : le niveau « Philippe le Bel » est donc simplement amélioré (+ 60 %). La révolution fiscale n'est guère spectaculaire encore. Louis XI cependant dépasse les

Page suivante droite. Ce tableau a été fort bien décrit et interprété par G. Lebel et aussi par J. Ehrmann dont nous reprenons ou résumons ci-après les commentaires : il s'agit en effet d'une mise en valeur (christianisée) du thème de la piété d'Auguste, lors de l'entrevue de cet empereur avec la sibylle de Tibur ; Auguste, un genou en terre, observe la sibylle qui, « d'un geste large du bras gauche, lui désigne au ciel le couple de la Vierge avec l'Enfant Jésus. Derrière Auguste, trois guerriers contemplent la scène ; ce sont, au service de l'empereur, le prévôt, le connétable et le sénéchal » (soit les responsables de la justice, de la guerre, et de la table du maître ou, plus largement, de l'administration générale). La place scénique où figurent divers personnages, dont une belle statue féminine, est fermée par une balustrade, au-delà de laquelle se pressent les spectateurs en costume des années 1570. Au centre, une femme imposante, debout, serait Catherine de Médicis elle-même, accompagnée de quelques suivantes (assises) parmi lesquelles la célèbre et galante Madame de Sauve. On est en présence, pour le coup, d'une des fêtes théâtrales qu'aimaient donner Henri III et Catherine, le thème choisi se rattachant à la légende d'Octave-Auguste et de la sibylle de Tibur.

Antoine Caron, L'empereur Auguste et la sibylle de Tibur, Paris, musée du Louvre.

Cul-de-lampe : alphabet extrait du Champfleury, traité de typographie publié en 1529 par le libraire humaniste Geoffroy Tory. La lettre A est un compas ouvert, le C (page 71) une poignée, et ainsi de suite. Geoffroy Tory tenait boutique à Paris, sur le Petit Pont, à l'enseigne du Pot cassé.

100 tonnes d'équivalent-argent (135 tonnes en temps de guerre ; là-dessus, le domaine royal ne joue plus qu'un rôle négligeable ; l'impôt proprement dit fournit déjà presque tout). Henri II frise les 190 tonnes à la fin des années 1550. Henri IV pèse presque 200 tonnes au terme de son règne. Mazarin grimpe allégrement à 1 000 tonnes de dépenses engagées, chiffre qui restera à peu près canonique jusqu'au début du règne de Louis XVI, sauf en période de grands conflits (Succession d'Espagne, guerre de Sept Ans). Dans ces cas graves, on peut arriver à 1 600 tonnes de dépenses engagées (vers 1705-1710) puis à 1 800 tonnes (après 1760). Mais on ne se tient que brièvement à de tels plafonds qui sont fort coûteux[39]. La véritable révolution fiscale avec doublement régulier du tonnage budgétaire ne s'engage donc point avec Jean le Bon et sa fameuse rançon au milieu du XIVe siècle, comme le soutiennent des historiens trop formalistes ; en fait, elle prend place à partir de Louis XI, d'Henri II et finalement des Bourbons, depuis Henri IV jusqu'au très jeune Louis XIV. C'est cela aussi la monarchie classique, ou du moins c'est l'un de ses aspects essentiels. Le ressentiment antifiscal, père des révoltes, se trouve accru par cet essor du prélèvement étatique.

Métaux précieux, imprimerie, canons : les prouesses de la technologie des temps modernes affectent la monarchie classique en tout son être. Elles orientent et stimulent sa croissance, même et surtout quand celle-ci est grosse d'antagonismes extérieurs ou intérieurs...

C.CHENA

LE.PORT.L.EVEQUE

R.PERLUE

PLACE.MAUBER

LE.PEVE

R.LAVANDIERES   C.PRESLE

R.DES.RATS   R.DES.ANGLOIS

R.S.JEAN

R.GALANDRE   R.DES.NOIERS

R.DU.FOUARE

R.DU.PLASTRE

S.BLAISE

S.IULIEN

R.S.IULIEN

R.LA.BUCHERIE

S.YVES

PETI.CHASTELET

St.SEVERIN

R.LA.HUCHETTE

S.GERMAIN.LE.VIEULX.

R.SACALIE

R.LA.KALANDRE

LA.BATILLERIE.

PONT.St.MICHEL

St.MICHEL

LE.PALAYS

LA.St.CHAPELLE

C.DENI.DUPAS

L.EVECHE

NOSTRE DAME

SAINT
CHRIS

R.NEUFVE

St.GENE
VIEFVE

L.OSTEL.DIEU

LE.PETIT.PONT

44

UNE RENAISSANCE

L
e présent volume se veut, entre autres, histoire de l'État et surtout du Pouvoir, l'un et l'autre représentant divers groupes d'hommes, factions, cliques, etc. Pas d'État pourtant sans société civile, territoire, économie, religion, culture... L'espace français, losange au temps de Louis XI, hexagone à peine esquissé sous Henri IV, restait borné grosso modo, lors des années 1460, par les anciennes limites du traité « partageux » de Verdun. Celui-ci fut conclu, comme chacun sait, en 843 de notre ère, entre les petits-fils de Charlemagne. Et les frontières tracées dès cette époque au centre de l'Empire furent progressivement retrouvées, beaucoup plus tard, au terme d'une lente progression capétienne, étalée sur plusieurs siècles. A la mort de Charles VII (1461), le Rhône, la Saône et l'Escaut jalonnent ainsi les pointillés d'une ligne à la fois vivante et perméable. Seule déborde vers l'Est, et vers l'outre-Rhône, l'excroissance dauphinoise, acquise à titre d'apanage dès 1349. Les nouvelles avancées, post-médiévales, jusqu'à la fin du XVIᵉ siècle, se situeront en Provence et aux confins de Lorraine. Simultanément, la Flandre, destinée sur le tard à former partie de l'actuelle Belgique, est perdue par la France, de façon définitive. Ces progressions et régressions évoquent la procédure patiente et grignoteuse que pratiquerait un notariat provincial. Sont-elles frappées d'insignifiance rétrospective ? Durant la même époque, ou ultérieurement, l'Espagne et le Portugal, puis la Russie et l'Angleterre s'apprêtent à s'emparer de subcontinents, vastes chacun comme quinze ou trente fois le pré carré de France : il s'agit des deux Amériques, de l'Australie, de la Sibérie... Mais ne sombrons pas dans l'anachronisme ! Si l'on s'en tient aux simples critères de la Renaissance, qui sont moins exigeants que les nôtres, l'espace français demeure gigantesque : l'homme moyen des années 1550, à supposer qu'il ne veuille point battre un record, met un mois pour traverser le pays du Nord au Sud, et trois semaines et demie d'Est en Ouest.

Le territoire total oscille donc entre les 425 000 km² du royaume de Charles le Chauve*, dont Louis XI, héritier de quatre siècles d'efforts, récupère à peu près les contours ; et les 460 000 km² de la « France » du XVIᵉ siècle final (contre 551 000 km² en 1987). De telles superficies s'accroissent aussi, quoique fort peu, pour des raisons purement naturelles : l'alluvionnement du Rhône et des courants marins place peu à peu dans l'intérieur des terres certains ports méditerranéens ou fluviaux comme Arles, Lattes, Montpellier, Narbonne ; ils avaient pourtant accueilli les gros navires en diverses périodes de l'Antiquité ou même du Moyen Age. Sur les côtes de l'Atlantique ou de la Manche, et sur les rivières qui s'y jettent, des phénomènes analogues (ensablement, recul et envasement des surfaces liquides) affectent ou menacent Bayonne, Luçon, Niort, Brouage, Lillebonne, Harfleur et Abbeville : salée ou douce, l'eau recule — sous sa forme « normale ». Elle avance par contre, à partir de la seconde moitié du XVIᵉ siècle, dès lors qu'elle est solidifiée en masses glaciaires. En Savoie (pas encore française), en Dau-

* Charles le Chauve (823-877) petit-fils de Charlemagne, partagea avec ses frères en 843, au traité de Verdun, l'Empire carolingien : la part qui lui échut sous le nom de *Francia occidentalis*, à l'ouest de l'Escaut, de la Meuse, de la Saône et du Rhône, correspond aux territoires historiques qui forment géographiquement les bases de la France traditionnelle.

phiné, au cours des années 1590, les glaciers locaux vont jusqu'à culbuter quelques petits villages, à force de déborder. Ces phénomènes sont minces, au plan géologique. Ils incarnent pourtant une infime péjoration du climat. Porteuse d'étés pourris et de fortes gelées qui sont nuisibles aux récoltes, elle peut aggraver les famines ou les rendre plus fréquentes : c'est ce qui se produit au cours des décennies 1560 et 1570, ainsi qu'en 1709, et entre-temps pendant diverses périodes du long XVIIᵉ siècle, notamment durant les froides années 1690.

La conscience « territoriale » ou « spatiale » de la France est lente à s'éveiller. Les nouvelles techniques issues de Gutenberg disséminent les premières cartes du royaume, floues, partielles ou médiocres. On les édite hors des frontières, à Ulm, Nuremberg et Florence, entre 1480 et 1500. La cartographie spécifiquement française est plus tardive ; elle donnera d'importants résultats avec les travaux d'Oronce Finé (mort en 1555), et surtout avec le *Guide des chemins de France* de Charles Estienne (1552).

Dénués ou pourvus de cartes, les rois et leurs agents ont une connaissance empirique des limites de leur domaine propre ; il tend à coïncider progressivement, par processus autophage, avec celles du royaume, au sens le plus large du terme. La monarchie espagnole est confédérale : elle unifie diverses couronnes : Aragon, Castille, etc. La royauté française est annexionniste : elle phagocyte plusieurs territoires, ci-devant princiers ; graduellement, ils tombent dans l'aire administrative où prévaut directement l'autorité souveraine. Le gaz épouse les contours du ballon : c'est ainsi qu'est récupérée la Bourgogne, dès 1477-1479, après le décès violent de Charles le Téméraire. De 1470 à 1486, le même sort advient à l'héritage d'Armagnac, comme aux terres du bon roi René, composées d'Anjou, Maine, pays de Mortain, et Provence. L'autophagie s'étend vers l'intérieur du royaume, et gomme peu à peu les grandes enclaves territoriales dont les maîtres, sur la lancée du XVᵉ siècle, avaient cru pouvoir conserver longtemps une forte dose d'autonomie administrative, voire d'indépendance. Pendant un XVIᵉ siècle « décalé », qui s'étend de 1515 au règne de Louis XIII, le comté d'Angoulême, la Bretagne, les terres d'oc et d'oïl du connétable de Bourbon (Auvergne, Bourbonnais, Beaujolais, etc.) et enfin le complexe héritage des Bourbon-Navarre, qui déborde largement l'Aquitaine, rentrent tour à tour dans le giron royal. Pour trouver encore de vivantes principautés, il faudra bientôt quitter la France et traverser le Rhin, au-delà de quoi elles seront légion jusqu'à l'âge classique. De ce côté-ci des Vosges, le domaine royal, au sens étatique du terme, couvrait 60 % du royaume lors des débuts de Louis XI ; il le contrôle presque à 100 % lors de l'avènement de Louis XIII.

La démographie s'inscrit dans les cadres conventionnels de l'hexagone des années 1700, qui est loin d'être entièrement réalisé au milieu du XVᵉ siècle. Cette fiction territoriale est commode ; elle permet d'instituer, à longue distance de temps, les comparaisons en termes d'effectifs humains. La population « française » ainsi délimitée approchait les vingt millions de personnes vers 1330. De 1340 à 1440, une quadruple série de désastres (pestes, guerres, famines, et crises économiques ou démographiques en spirale, qui s'engendrent ou s'aggravent les unes les autres) déploie des conséquences anémiantes : le peuplement, pour des frontières comparables, tombe à une dizaine de millions d'âmes (ou moins ?) au plus sombre de Charles VII. Jamais la France ne fut ni ne sera si dépeuplée, entre le XIIᵉ et le XXᵉ siècle. Ultérieurement, de 1450 à 1560, un « hypersiècle » s'intercale, de reprise lente, vigoureuse, ininterrompue. Les guerres, désormais, sont presque purement *extérieures*. Volontiers menées par les rois, elles coûtent relativement peu aux contribuables français ; elles ne sont pas encore en mesure de ruiner, voire de dépeupler (très modérément) le pays, comme elles feront plus tard sous Louis XIV, à coups d'impositions excessives. Vers 1560, on retrouve donc tout bonnement le « plafond » d'une vingtaine ou quasi-vingtaine de millions de personnes, qu'on avait déjà connu au début du XIVe siècle, avant les funèbres fauchaisons, pesteuses et guerrières, du temps des malheurs, lui-même initié aux années 1340. L'hexagone est plein d'hommes sous Philippe le Bel ; à demi-vide au temps de Jeanne d'Arc ; derechef plein comme un œuf dans les dernières années d'Henri II. Histoire immobile, ou plutôt pendulaire ? Métaphore à part, il y eut effectivement dans le très long terme, destruction partielle d'un peuplement, suivie de récupération pure et simple, ou peu s'en faut. On touche, une fois n'est pas coutume, à des structures profondes : de 1300 à 1715, cette population *plafonne* à peu près constamment, un peu plus un peu moins, aux environs de la vingtaine de millions de personnes. Quitte à s'effondrer aux dix millions, pendant l'exceptionnelle période des catastrophes (1340-1450). Quitte à remonter ultérieurement, dans le sens inverse, et selon le même rythme, jusqu'à la norme coutumière de vingt millions pendant le siècle qui suit (1450-1560). Quitte à se tenir ensuite à cette norme, non sans fluctuations, mais modestes et souvent positives, au cours du long XVIIe siècle (1560-1715).

Pour autant qu'on puisse en juger, la « règle » plus que quadriséculaire des vingt millions d'âmes tient aussi à des constantes écologiques : compte tenu des techniques agricoles (peu sophistiquées), compte tenu aussi d'une certaine régularité des agressions microbiennes pendant cette interminable époque, l'influence combinée de la misère, des disettes, du rationnement alimentaire *de facto*, des contagions meurtrières et du mariage éventuellement tardif, employé faute de mieux comme « arme contraceptive », est suffisamment forte pour écrêter ou même raboter tout dépassement substantiel du chiffre fatidique des « vingt millions d'âmes ». Au XVIIIe siècle, cette vieille barrière, qui parut longtemps infranchissable, est enfin levée. Dès lors, à partir de 1700-1715, le peuplement national connaîtra une vraie progression ; celle-ci n'étant plus seulement, comme jadis au XVIe siècle, récupération d'un ancien record. Les plafonds seront désormais percés. On s'acheminera allègrement, par montée à peu près continue, depuis la Régence jusqu'aux années 1815, vers les trente millions de Français. Mais de Louis XI à Louis XIV, on n'en est pas là ! Entre 1340 et 1560, une démographie-toboggan s'était mise en place : elle s'écrasait au sol puis rejaillissait ; le renversement de tendance prenait place vers 1450. Le second mouvement annulait progressivement le premier. S'agissant de la deuxième période, dite de remontée, reprise ou récupération (entre 1450 et 1560), trois facteurs sont susceptibles d'en rendre compte. Ce sont : fécondité plus forte ; nuptialité plus précoce (qui donc allongerait la période effectivement féconde des femmes mariées) ; mortalité moins intense. En fait, le premier élément n'a guère joué comme tel. Si l'on mesure approximativement la fécondité des femmes par l'intervalle entre deux naissances, le beau XVIe siècle n'est guère différent du morose XVIIe siècle. Sous François Ier comme sous Louis XIV, en l'absence de contraception bien développée, les jeunes épouses sont soumises à la règle de l'accouchement biennal. Un enfant tous les vingt-quatre ou trente mois : le temps de mettre au monde un bébé, de l'allaiter, puis de concevoir et de porter le suivant.

En revanche, du fait des incitations d'une économie momentanément plus stimulante ou par suite d'habitudes anciennes, le mariage était, semble-t-il, plus précoce sous François Ier qu'il ne sera au temps du Roi-Soleil. Les épouses normandes de la « Renaissance » convolaient à vingt et un ans en moyenne, au lieu de vingt-quatre ou vingt-cinq pendant le Grand Siècle. Ces quatre années de différence donnaient déjà deux bébés de plus. Un tel bonus n'était pas négligeable, à l'actif du boom démographique des soixante premières années du XVIe siècle.

La mort enfin fut, à l'époque envisagée, statistiquement moins cruelle qu'en d'autres temps. Il y eut en effet d'assez bonnes périodes entre 1455 et 1560, et notamment jusqu'en 1520. Au cours de celles-ci, pendant quelques années favorables, le taux de mortalité générale pouvait tomber au niveau relativement bas de 30 ou 31 % : de quoi accumuler massivement des excédents démographiques que les petits (?) malheurs des décennies suivantes (après 1520) ne parviendront pas à supprimer tout à fait. De 1460 à 1520, du fait des raisonnables demandes céréalières d'une population qui grâce à l'abondance des terres encore disponibles reste relativement clairsemée pendant une appréciable période, les famines sont assez rares. (Elles se multiplieront par la suite, avec l'occurrence d'un culmen démographique.) Les salaires, longtemps élevés, de la fin du XVe siècle, révèlent eux aussi un niveau de vie populaire qui demeure « correct ». Il favorise la « peuplade », et diminue certains risques de mort, la population étant relativement bien nourrie, moins vulnérable par conséquent à la misère physiologique et à la morbidité. Ultérieurement, les conditions salariales et alimentaires se détériorent, lors des disettes des années 1520 et suivantes. La conjoncture épidémique, en revanche, paraît s'être améliorée. La lèpre régresse décidément après 1536. Les catastrophes pesteuses interviennent toujours, mais se font moins fréquentes à partir de 1525. Cet espacement des pestes, sous François Ier et Henri II, s'explique peut-être par les mesures de quarantaine que prend désormais le monde urbain ; elles sont relativement efficaces, et les paysans en bénéficient par contrecoup.

Constatons donc, sans prétendre l'expliquer dans tous ses détails, la brillante récupération démographique entre les dernières années de Charles VII et le début de Charles IX. Il était normal, somme toute, qu'une remontée salutaire s'instaure (au-delà de 1450) après un siècle de dépeuplement approfondi (de 1340 à 1450).

Conséquences de cette reprise : les obsessions relatives au trépas, sans disparaître, cessent d'occuper les sommets de la culture, religieuse ou laïque. Heureux changement, par rapport au XVe siècle des danses macabres, des Transis, et des méditations morbides sur la pourriture du cadavre.

A un niveau moins glorieux, le mouvement brownien s'empare des populations. Multipliées, il n'est pas question pour elles de s'entasser simplement sur place. Elles ne sauraient plus où donner de la tête ! Elles se font gyrovagues. Les déplacements migratoires affectent des formes diverses : *poussée urbaine* ; *migrations de passage* (artisans, pèlerins, écoliers ou étudiants) ; *migrations de la misère* (mendiants et simples prolétaires débordent ou descendent en grand nombre depuis les terres pauvres de Bretagne et de Rouergue vers les bons pays de Languedoc, Vexin, Normandie) ; *repeuplement des campagnes* ; *immigration de reconquête*, enfin dans des régions souvent prometteuses, comme le Bordelais viticole : de nombreux villages, en Gironde, avaient été abandonnés à la suite des guerres anglaises ; les

Jacques Le Lieur, en 1525, a remis aux autorités municipales de Rouen, son Livre des fontaines consacré, en principe, aux problèmes d'adduction d'eau dans la ville. Notaire, édile et poète, secrétaire du roi, spécialiste des problèmes fiscaux et administratifs, Jacques Le Lieur se situe dans le prolongement des entreprises « hydrauliques », déjà initiées vers 1500 par le cardinal d'Amboise, archevêque de Rouen. Le manuscrit de 1525 « représente minutieusement le trajet des différentes conduites qui alimentent les fontaines ». L'auteur en profite pour figurer sur ses schémas visuels les maisons, églises, couvents, fortifications, etc., de la première cité de Normandie.

L'un des dessins de Le Lieur représente ici même le quartier des moulins : les meuniers de Rouen, au débouché de la basse Seine, transforment en farine les blés du pays de Caux et plus largement du Bassin parisien, pour le compte d'une nombreuse population, tant de la ville que du plat pays. Le Lieur s'intéresse également au port de Rouen : certes, les entreprises maritimes des Normands n'ont pas l'ampleur de l'initiative italienne, ibérique ou flamande. Elles situent néanmoins cet avant-port de Paris en première ligne du commerce international et des contacts lointains de la France. Dès 1509, un certain Thomas Aubert, de Dieppe, avait rapporté à Rouen sept sauvages d'Amérique du Nord, avec leurs armes et leur canot. Et à l'automne de 1531, six navires de Rouen se préparaient à partir pour le Brésil et pour la Guinée. (D'après R.F. Knecht.)

A noter que sur la partie inférieure et supérieure de cette représentation portuaire, les maisons à colombages sont typiques d'un style architectural dont les reliques perdurent à Rouen jusqu'à nos jours. (D'après F. Bergot, catalogue de l'exposition « La Renaissance à Rouen », musée des Beaux-Arts de Rouen, 1980-1981.)

Jacques Le Lieur, Livre des Fontaines, 1525, Rouen, Bibliothèque municipale.

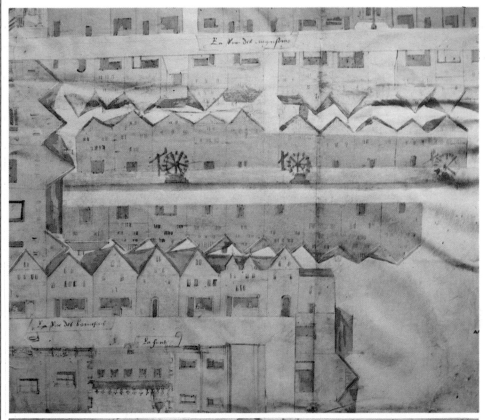

nouveaux colons venus des zones occitanes ou francophones y accourent avec d'autant plus d'énergie à partir de l'époque de Louis XI. Enfin, il y a parfois quelque émigration : la France (méridionale et centrale) peuple l'Espagne au moment même où l'Espagne peuple ou repeuple à son tour les Amériques indiennes nouvellement découvertes.

Il faut bien nourrir tout ce monde, et lui assurer le minimum vital, hors des années de disettes. Une agriculture de style traditionnel s'y emploie de son mieux. La production des grains récupère vivement, elle aussi, de 1450 à 1500. Cette alacrité céréalière s'explique par la facile remise en valeur des terres qui furent précédemment abandonnées pendant la guerre de Cent Ans ; leur simple débroussaillage ne pose pas d'obstacle insurmontable. Par la suite, les livraisons de blés s'accroîtront beaucoup plus lentement, jusqu'à plafonner vers 1550-1565. Car les dernières terres défrichables ou disponibles s'avèrent désormais marginales, peu fertiles, difficiles à mettre en valeur, ou éloignées des grandes voies de communication et de commercialisation ; d'où, au XVIe siècle, une forte hausse des prix du grain ; ils sont exaspérés par la demande croissante, et souvent insatisfaite : ils sont stimulés d'autre part du fait de la plus grande abondance d'or et d'argent (qui vient d'Europe centrale et puis, surtout, du Nouveau Continent). Cette cherté va culminer, de temps à autre, en grandes famines : derechef elles sont présentes après 1520. Pour le reste, la production végétale se diversifie, mais sans excès : le vignoble grandit près des ports exportateurs, comme Nantes, ou aux alentours des marchés de consommation, forts de dizaines ou de centaines de milliers de buveurs : Lyon, Paris... Le bétail est très demandé par les zones urbaines. Ailleurs, l'élevage demeure léthargique : l'herbage en effet est souvent sacrifié aux emblavures, dont on a le plus urgent besoin, puisque leur production, en année médiocre, suffit tout juste aux besoins nationaux, pour cause d'insuffisante productivité. La carence de l'élevage conduit au manque de fumures, qui, à son tour déprime la productivité céréalière. C'est le fameux cercle vicieux de l'ancienne agriculture, dont les Flamands (mais non pas les Français) commencent à s'extraire en ce temps-là, au nom d'un cercle vertueux. Enfin les forêts demeurent immenses vers 1550 ; il n'est pas exclu qu'elles couvrent encore *un tiers* du territoire national. A la longue, cette présence forestière est étouffante et pose, *a contrario*, des problèmes de subsistance : car l'homme ne vit pas que de bois. Les forges, les verreries, les besoins généraux de charpente et de combustible contribueront dans les siècles suivants à raréfier l'arbre ; par voie de conséquence, on élargira les terroirs ; on nourrira plus aisément les humains.

Au village, les groupes sociaux qui sont ainsi responsables d'une agriculture quelque peu inadéquate en goûtent diversement les fruits. Du Languedoc à l'Ile-de-France, les lopins ruraux sont captifs d'une vague de morcellement, et débités en parcelles toujours plus petites. C'est l'inéluctable effet de la montée démographique du « beau » XVIe siècle : elle divise à chaque génération les tenures rustiques, puisque les enfants qui survivent sont plus nombreux que les parents qui périssent. Les clauses d'héritage, issues des coutumiers locaux qu'on a compilés sous la Renaissance, tentent de favoriser l'un des fils, souvent l'aîné, aux dépens de ses frères et sœurs. Elles ne freinent qu'assez mal l'action du hachoir successoral. D'où un processus de paupérisation dont souffrent les petits exploitants et tenanciers : chacun d'eux a moins d'hectares ou de fraction d'hectares que ses prédécesseurs. De toute manière, pour des raisons d'immobilisme technologique, la productivité de chaque hectare ne s'accroît guère ; on ne compense donc point le déficit quantitatif des surfaces par l'amélioration qualitative des procédés agricoles, mis à part bien sûr telle ou telle situation locale, laquelle s'avère plus favorable, comme dans le cas de la viticulture nantaise. Les tendances à l'appauvrissement rural *per capita* s'aggravent du fait de la baisse des salaires réels : ceux-ci souffrent classiquement de la hausse des prix ; ils sont surtout victimes de l'offre accrue de main-d'œuvre qui, au vu d'opportunités d'emploi plutôt léthargiques, fait tomber la valeur des rémunérations du travail. Dans l'ensemble, cette double tendance à la paupérisation affecte les journaliers agricoles, domestiques de ferme et autres manouvriers, et d'autre part, les petits laboureurs ; ceux-ci voient se réduire, de père en fils, la poignée d'hectares ou de centiares dont ils disposent. Par contre, les fermiers importants, aristocrates de la charrue, sont emportés dans un flux de prospérité convenable : le marché leur est bien disposé ; les salaires réels qu'ils versent à leurs ouvriers sont en baisse ; la rente qu'ils doivent livrer au propriétaire du sol reste parfois stable ou en général augmente raisonnablement.

La classe propriétaire (nobles, officiers, seigneurs, haut clergé, marchands et bourgeois importants) tient environ la moitié du sol français (la moitié restante appartenant aux paysans) ; ce groupe dominant voit éventuellement cette part grandir, du fait de la politique d'achats fonciers que mènent les grands possédants, ou ceux qui aspirent à cette position. Le droit d'aînesse noble et la mainmorte cléricale* épargnent souvent à cette haute classe les affres du morcellement successoral et terrien. Elle perd de son revenu par la dévaluation des droits seigneuriaux, qui parfois tombent à presque rien ; mais elle récupère ce manque à gagner, et bien au-delà, grâce à la hausse fréquente des fermages réels ; grâce aussi à l'indexation des dîmes** ; celles-ci accompagnent, sans plus, les (modestes) progrès de la production agricole, en attendant d'être quelquefois menacées, dans les années 1530-1560, par les premières grèves*** des paysans décimables ; ils sont travaillés de près ou de loin par l'influence huguenote. La seigneurie sait changer de registre ; elle passe de la prédominance des droits seigneuriaux**** à la suprématie des rentes foncières, basées sur les fermages. Plus pilote que parasite, le système seigneurial joue souvent un rôle d'animateur pendant la reconstruction des campagnes et lors de la renaissance qui prolongera celle-ci, jusqu'au butoir des guerres de Religion.

L a conjoncture des villes, du négoce et de l'industrie n'est pas fondamentalement différente de celle des campagnes et de l'agriculture. En chronologie, le parallélisme est frappant : démarrage urbain dès le milieu du XVe siècle, suivi d'un essor rapide ; décélération éventuelle vers 1515 ; mais celle-ci laisse place jusque vers 1560 à une fort honorable prospérité d'ordre commercial et manufacturier. Prospérité mal partagée ! L'essor démographique qui la sous-tend jette en effet sur le marché du travail une main-d'œuvre en excédent ; elle fait baisser les salaires réels. Cette paupérisation salariale accroît certes les profits des entrepreneurs, mais elle empêche dans le long terme qu'augmentent de façon spectaculaire la consommation des masses et donc la

* Dans le cas de la mainmorte servile, l'héritage du serf décédé sans enfants légitimes revient à son seigneur. Dans le cas de la mainmorte cléricale, les biens de l'Église ne donnent pas lieu à héritage, puisqu'ils appartiennent à des personnes morales et perpétuelles qui sont censées ne jamais mourir (abbayes, archevêchés, etc.)

** La dîme prélevée par le clergé représente un pourcentage déterminé de la production agricole : 10 % en principe, quelquefois 9 %... De ce fait le volume de la dîme se modifie avec le temps, au même rythme que les productions agricoles elles-mêmes ; elle est « indexée » sur celles-ci.

*** Les grèves paysannes contre les dîmes dans le second tiers du XVIe siècle, consistent en ce que les « grévistes », tout en continuant le travail des champs, refusent de verser les grains de la dîme au clergé.
Elles diffèrent des premières grèves ouvrières, de type déjà classique, telles que les pratiquent les typographes de Lyon dès le XVIe siècle.

**** Droits seigneuriaux : la seigneurie terrienne se décompose en deux portions : le domaine proprement dit, loué (comme aujourd'hui) à un fermier, qui verse un loyer ou fermage ; et d'autre part, les droits seigneuriaux en nature ou en argent, prélevés sur les petites parcelles des paysans tenanciers qui environnent le gros domaine seigneurial.

possibilités de croissance de la consommation de masse (sans pourtant les anéantir). En revanche la hausse des revenus des possédants favorise la montée du luxe ; c'est un atout certes pour les lointains trafics, mais qui prescrit à l'expansion de ceux-ci des bornes peu franchissables. L'essor soutenu du « capitalisme » impliquerait en effet des achats populaires en état d'augmentation continue, comme ce sera le cas avec les cotonnades (par exemple) à partir de la révolution industrielle. Rien de semblable, au temps de la Renaissance.

Une vue d'ensemble du commerce extérieur donne une idée précise de ces limites étroites ; faisons abstraction, à ce propos, des « importations » d'or et d'argent : elles signalent simplement le caractère positif de la balance des paiements. Ce point étant posé, on constate que les importations françaises, en valeur, au cours des années 1551-1556 se composent pour 54,3 % de soie et draps de soie ! Ce pourcentage qui concerne des denrées de pur luxe, apparaît énorme ; il démontre le caractère marginal dudit négoce extérieur par rapport aux masses gigantesques et autarciques de la ruralité française. En fait, ce trafic international, pour plus de moitié, concerne une poignée de consommateurs privilégiés, qui sont amateurs de soieries ; il laisse de glace la majorité silencieuse des régnicoles. Au second poste importateur, après les soies et draps de soie, viennent les armes, la métallurgie, les métaux (à eux trois, 20,8 % des importations). Ce chiffre signale bien sûr l'une des faiblesses structurelles de la France, moins douée sous le rapport minéral que ne sont l'Allemagne ou l'Angleterre (quelques tentatives d'exploitation minière dans les Vosges et dans le Lyonnais argentifère, de Louis XI à Henri II, ne peuvent pas changer grand-chose à ces carences géologiques, dans un royaume qui dispose néanmoins, à ce point de vue, de ressources diverses, notamment ferreuses). Enfin le troisième poste importateur est celui des épices, du sucre et de l'alun, trois denrées qui elles aussi sont liées à la consommation élitiste : elles comptent pour 8,1 % des importations françaises et elles accentuent encore les caractères originaux de celles-ci, fort peu branchées sur la consommation populaire.

Importatrice de produits luxueux et chers, la France exporte en contrepartie des biens à faible valeur ajoutée : ils proviennent du secteur primaire (agriculture et salines) ou secondaire (industrie). Dans un style plus simple, ces sorties de marchandises tiennent surtout en cinq mots : grains, sel, vin, draps, toiles. Les vins et le sel filent vers le Nord. On envoie au Sud un peu de blé, et surtout des draps du Languedoc en direction du Levant. Les toiles de chanvre fabriquées en Bretagne et aux alentours du Lyonnais donnent des ailes aux navires, des chemises aux vivants et des linceuls aux morts ; elles vont vers l'Italie, le Moyen-Orient et de plus en plus vers l'Espagne. Tout cela n'est pas massif quand on songe que même avec une balance commerciale en excédent, les rentrées de devises ainsi procurées compensent pour une bonne part les sorties d'or et d'argent destinées à l'importation des produits de luxe, soieries et épices, dont l'achat n'intéresse qu'une faible minorité : le caractère relativement minuscule des importations certifie par jeu de miroir l'insignifiance des exportations, celles-ci étant comparées à l'énorme produit brut d'une agriculture autoconsommatrice dont vivent quasi directement les 80 % de la vaste population nationale. Bien sûr certaines industries de pointe et notamment l'imprimerie lyonnaise se développent en France, mais dans un pays encore fort illettré, elles sont quantitativement groupusculaires, tout en s'avérant décisives par leur effet de déstabilisation culturelle.

Sous l'angle financier, les performances du royaume ne sont pas négligeables, en première analyse. Depuis 1475, le pays dispose d'une monnaie solide, l'écu d'or ; la livre tournois, monnaie de compte, ne se dévalue qu'assez lentement ; elle équivaut à 22 g d'argent en 1475 ; à 14 g pendant les années 1560. Il est vrai que l'argent métal qui fonde notre calcul de la valeur des monnaies tend lui-même à perdre forte part de son pouvoir d'achat, du fait de la hausse des prix des divers produits au XVIe siècle. N'épiloguons pas sur les causes de cette hausse (parmi celles-ci figurent l'effet inflationniste des arrivages d'argent américain et surtout la hausse démographique : celle-ci accroît la demande et stimule donc la montée des cours, face à une offre de biens de consommation, et principalement de produits alimentaires, qui demeure inadéquate). Constatons simplement que l'indice des prix parisiens passe du niveau 100 autour de 1510, à 606 autour de 1580. Soit un taux d'inflation de 2,6 % par an[3], déjà inhabituel et considérable, au gré de l'Ancien Régime ; il demeure nettement inférieur aux rythmes galopants de notre XXe siècle inflationniste, où les 10 % annuels de hausse des prix ne seront pas rares, en certains groupes d'années.

Inflation et expansion au total jouent dans des limites assez étroites : on le voit bien par le spectacle des frappes monétaires françaises au XVIe siècle : elles « frappent » justement... par leur modestie de fait. Exprimées en livres tournois[4], et calculées par périodes successives de cinq ans, elles dépassent les 2,5 millions de livres tournois autour de 1500, les 3,2 millions vers 1525 ; elles atteignent les 6 millions vers 1550, et dépassent les 7 millions vers 1575. Glorieuse ascension ! Mais si l'on purge ces chiffres de l'inflation du siècle, en les recalculant à prix constant, et en les ramenant par exemple à leur équivalent-froment, on observe un tableau moins gai : les mêmes quinquennats de frappe monétaire[5] équivalent alors à 2 164 000 setiers* de froment vers 1500 ; 1 171 000 vers 1525 ; 1 544 000 vers 1550 ; 822 000 vers 1575. Le dernier chiffre correspond aux très mauvaises années des guerres de Religion, mais les trois autres, en temps de paix intérieure pourtant, n'indiquent pas de croissance nette, bien au contraire. Les frappes monétaires, effectuées de par le roi, matérialisent un contact entre l'État et l'économie. Leur relative léthargie pendant la Renaissance oblige à bannir tout triomphalisme, s'agissant de performances étatiques, économiques, et financières, à cette époque. Certes la banque est bien organisée, à Lyon ; un système original de paiement, aux foires de cette ville, permet d'éviter la plus grande partie des débours en métaux précieux ; les hommes d'affaires y règlent leurs dettes mutuelles par des jeux d'écriture. Lyon comme place de finance rayonne assez loin sur l'espace français au point d'être paradoxalement (avec Rouen et Bordeaux) l'une des capitales de nos assurances maritimes sous Henri II. Plus généralement, les obligations notariales (à la base) et les lettres de change (au sommet) tissent un vaste système de crédit rhodanien, qui permet aux marchands et aux producteurs de se passer des pièces sonnantes et trébuchantes. L'État lui-même fait appel à diverses catégories de prêteurs ; grands officiers tels que les trésoriers de France et généraux des finances ; bourgeois de Paris par l'intermédiaire des rentes sur l'hôtel de ville** (1522) ; financiers italiens et allemands de Lyon, à la fin de François Ier et sous Henri II. Les procès contre des représentants de fortes dynasties financières (et qui dans le cas du surintendant Semblançay

* Le setier de froment de Paris correspond à un volume de 1,56 hectolitre de grain.

** Rentes sur l'hôtel de ville : capitaux prêtés au roi par des particuliers, mais dont les intérêts étaient payés au créditeur de façon relativement sûre. Ces intérêts étaient prélevés en effet sur des taxes parisiennes, qui frappaient la viande, le poisson, le vin, etc., et qui étaient administrées et garanties par l'hôtel de ville de la capitale.

Apres que larche eux bauce mons repol...
Francus dbertoz fitz la fille espousa

mènent l'intéressé jusqu'au gibet, en 1527), les faillites retentissantes comme celles du Grand Parti de Lyon (1558) permettent à l'État de se libérer périodiquement de la dette vis-à-vis des manieurs d'argent, quitte à les solliciter de nouveau quand s'apaise le fâcheux souvenir de la banqueroute. Les percées des banques privées vers le financement et vers la gestion des budgets relatifs aux villes, aux douanes, aux seigneuries, et aux églises ne sauraient dissimuler au total le relatif sous-développement de nos structures bancaires et financières, ou même leur absence pure et simple, Lyon et quelques autres cités de moindre calibre étant mises à part. Les Français ne prendront en main leur réseau fiduciaire, jusqu'alors tenu par des étrangers, qu'à partir de la fin du XVIe siècle.

Géographiquement, ce mixte d'activités de pointe (minoritaires) et d'arriération (majoritaire) qu'est le royaume se laisse assez bien définir : les pôles de la puissance sont dans une vaste zone septentrionale, qui inclut la Normandie, l'Ile-de-France, et le Nord de la Bourgogne (après l'annexion de celle-ci par Louis XI). Encore faut-il débloquer, désenclaver ce grand Nord-Est. La réouverture de l'isthme français du Nord au Sud et la recherche des mers chaudes accompagnent la nouvelle fortune de Lyon, stimulée par les transalpins. Ce sera même au XVIe siècle l'une des justifications, certes nébuleuse, des guerres d'Italie. Dès 1465, il y a déplacement stratégique, et d'importance : les Médicis transfèrent à Lyon leur succursale de Genève. En 1502, plus d'une quarantaine de firmes florentines sont à pied d'œuvre au confluent de la Saône et du Rhône. Lyon importe les soies et soieries d'Italie, les métaux et les toiles d'Allemagne, les draps d'Angleterre ; exporte le textile et la quincaillerie française ; travaille enfin sur place le livre et bientôt quelques étoffes de soie. Cette animation entraîne une hausse démographique qui s'avère bien plus que proportionnelle, par rapport au simple doublement de la population qu'on enregistre sur un plan plus général. Il y avait 20 000 Lyonnais sous Louis XI, mais 65 000 au temps de François Ier. L'entassement humain conduit à la prolétarisation, comme ailleurs en France urbaine et rurale. Le pouvoir d'achat du salaire lyonnais calculé en équivalent-blé passe de l'indice 110 vers 1510 à l'indice 85 vers 1560. Sur plus longue période, l'abaissement du pouvoir d'achat populaire serait de moitié entre 1505 et 1595.

Le bonheur lyonnais, c'est le moins qu'on puisse dire, est inégalement partagé. Il n'exclut pas le déplacement de certaines voies commerciales : « l'axe français » depuis la décadence des foires de Champagne court de Rouen et Paris vers Lyon et le Midi, par la Loire moyenne et supérieure, ou par la Savoie. Mais le Midi à son tour change d'assise et de définition géographique : il était occitan et de rive droite du Rhône ; donc centré sur Aigues-Mortes et sur les autres ports languedociens (Agde, Montpellier, Lattes) pour l'entrée des épices et pour la sortie des draps venus du Nord ou de Carcassonne. Avec l'inclusion de la Provence dans le royaume des Valois (1481), Marseille, englobé du même coup, devient l'ultime port d'attache des trafics Nord-Sud de la France, et dévalorise par contrecoup les ports languedociens. L'expansion du trafic portuaire était déjà fortement engagée à Marseille au milieu du XVe siècle : la croissance annuelle de l'impôt sur les transactions se situait en effet à 5,02 % de 1438 à 1465 pour se stabiliser à 1,03 % de 1465 à 1515 et 2,8 % de 1515 à 1540. La poussée démographique

dans ces conditions est nettement supérieure à la moyenne nationale :
10 000 Marseillais vers 1500 ; mais 30 000 en 1554. La ville, comme on voit,
ne devient pas gigantesque ; les Marseillais, qui n'ont point l'envergure de
leurs amis ou concurrents italiens, s'installent à la petite semaine au Levant
et en Afrique du Nord ; ils y trafiquent des grains, des peaux, et pratiquent
la pêche au corail en eau profonde. Sur les bords du Lacydon s'affirme la
fortune des Forbin, descendants d'un peaussier de Langres, venu en Provence à la fin du XIVᵉ siècle : ils dominent l'hôtel de ville et la Canebière dès
1475-1484, en attendant de faire souche d'archevêques, d'amiraux et de
chevaliers sous Louis XIV. Au total, les nouvelles fortunes de Marseille et de
Lyon pourraient-elles tout à fait se comprendre, si l'on n'évoquait à leur
propos l'annexion de la Bourgogne par Louis XI : elle ouvrit à la France
l'héroïque trouée de l'axe Rhône-Saône.

La façade Atlantique, en principe, s'offre à des horizons plus vastes que ce
n'est le cas pour l'axe continental Paris-Lyon-Marseille ; à première vue, ils
paraissent presque infinis, au gré d'un XVIᵉ siècle sans rivages. Malheureusement les ports occidentaux du royaume, à la différence d'Anvers, Lisbonne
ou Séville, ne prennent pas leur juste part des nouveaux négoces transocéaniques. Soit Nantes : la mainmise française sur cette ville, en 1491 (dix ans
après Marseille), donne le « coup de pouce » favorable à une conjoncture qui
de toute manière était séculairement positive. Un arrière-plan national (vers
le Val de Loire et les transbordements parisiens) devient plus ouvert encore
aux Nantais. Leurs performances demeurent pourtant modestes. Le peuplement de cette ville portuaire, qu'on croirait prestigieuse, passe simplement
de 15 000 habitants (fin du XVᵉ siècle) à 25 000 (fin du XVIᵉ). Les pestes y
demeurent fréquentes jusqu'au début des années 1550. Elles gênent l'essor.
Les négociants espagnols s'implantent sur les quais de basse-Loire, mais les
2 000 bateaux, généralement des coques de noix, qui fréquentent Nantes, se
bornent, et c'est déjà beaucoup, à exporter du vin comme à importer du sel
ou de la morue, dont l'iode marine atténue les goîtres des hommes. La
fixation d'une chambre des comptes à Nantes au début du XVIᵉ siècle ne
change pas grand-chose à cette expansion de routine. Rien de bien remarquable à Bordeaux non plus. Là aussi, vin, sel, huile d'olive, pruneaux et
pastel toulousain à la sortie ; morues à l'entrée, apportées par des pêcheurs
basques que financent les capitaux de Gironde. Certes les contacts décisifs
sont pris ou repris entre l'estuaire de la Garonne et l'Angleterre ou les
Pays-Bas, mais les mutations structurelles de la ville sont encore à venir ;
elles interviendront au XVIIIᵉ siècle avec l'import-export des denrées colonia-
les, des eaux-de-vie, et des vins fins. Les Lumières bordelaises s'identifieront
au mondialisme conquérant de Montesquieu, penseur et viticulteur ; la
Renaissance girondine préférait s'en tenir, sur le tard, au scepticisme criti-
que du seigneur de Montaigne.

Aussi bizarre que cela puisse paraître, en ce XVIᵉ siècle français, le véritable
Atlantique est dans la Manche. Les marchands rouennais en effet ressentent
l'appel de l'Amérique et de l'Asie, mais ne seraient que mercantis d'arrière-
boutique s'ils n'étaient soutenus, dans leur hinterland, par la forte influence
du marché parisien, c'est-à-dire, en dernière analyse, par l'État proto-cen-
tralisé. Rouen, qui hélas étouffe dans sa cuvette, a 45 000 habitants vers
1510, et déjà 70 000 en 1560. Trois fois Nantes. Au XVᵉ siècle finissant, et
déjà prospère, les échanges rouennais restent classiques : blé et vin à la

* La no
est util
ancienr
migrati
ques pa
famille
rations.

« diagonale ». Elles unissent les jeunes de dix-huit à trente-six ans, mariés et non mariés. Elles intègrent les immigrés. Elles enseignent, surtout après 1500, la courtoisie envers les femmes et jeunes filles, qui dansent aux jours de fête, en compagnie des « moinillons » du « monastère » de Maugouvert* : le deuxième sexe, aux tendres années, ne se confine plus entièrement dans la sociabilité traditionnelle du four, du lavoir et du moulin. Jurandes, confréries et « abbayes » fonctionnent à leur manière comme écoles de pouvoir ; elles régularisent la vie urbaine ; elles contribuent à produire, au niveau de base, un fonctionnement relativement harmonieux des villes, dans le cadre global du royaume.

Les forces communautaires et d'attraction mutuelle entre citoyens ne se résument point au corporatisme confraternel ou pseudo-abbatial des artisans et des jeunes. Elles tirent aussi leur substance d'une culture citadine qui se diffuse aux petites gens comme au peuple gras. Seuls s'en excluent les marginaux ou les hommes très pauvres. Culture à un seul étage** ! Elle mêle dans la nef comme sur le parvis des églises, le sacré et le burlesque ; elle fait alterner la bénédiction du Saint-Sacrement, et la parade des ânes coiffés d'une mitre. Au risque de choquer les chrétiens rigoureux, elle considère que Dieu, à l'occasion, ne dédaigne point d'être la proie d'inextinguibles fous rires. Elle accroît la cohésion collective par l'usage répétitif des « soties, moralités, sermons, chevauchées triomphales ». Elle se livre, en chœur et en corps, à la désolante émeute antijuive, pour le moins dans quelques cités provençales. Du point de vue « communautariste », la haute culture élitaire, à son tour, en rajoute ; par le recours à l'histoire locale, elle célèbre un patriotisme urbain. En témoignent à Metz et ailleurs, les écrits de Philippe de Vigneulles*** ou de ses homologues.

De fait, après le « trou noir » des guerres de Cent Ans, la mode éducative fait de nouveau fureur dans les bonnes villes, et pas seulement à l'usage de l'élite. Elle ne laisse entièrement de côté que le menu peuple (40 % de l'effectif total). Excepté ce groupe, les pédagogies, de plus en plus sélectionnistes proposent l'alphabétisation primaire, puis la grande école à partir de dix ans. Vient ensuite l'apprentissage notarial ou marchand. L'université, enfin, est fréquentée par quelques-uns jusqu'à vingt-huit ans, et jette sur le marché de l'emploi, dans chaque ville importante, quelques dizaines de gradués, promus dans le meilleur des cas aux offices prestigieux ou de forte rentabilité.

La pénétration des Lumières, même primitives, oriente les esprits du meilleur niveau vers l'étude des antiquités de la ville ; elles sont sources d'orgueil et de commémoration spectaculaire. La fierté citadine s'étend aux monuments communs. Il serait exagéré de parler d'urbanisme ; celui-ci ne se matérialise que provisoirement dans les décors, en bois et en toile, qu'on réalise pour les entrées princières, et qu'on plaque sur le désordre des venelles. Les équipements collectifs néanmoins ne sont pas négligeables : ils incluent les remparts, la tour de l'horloge (on en est venu à mesurer le temps), la flèche de l'église cathédrale, l'hôtel-de-ville, et les bordels centralisés, qui travaillent au service de la chose publique. Une réaction moralisante n'interviendra qu'après 1490-1500, quand la syphilis « débordelisera**** » les rues et les consciences, bientôt aidée dans cette tâche dépolluante par l'offensive puritaine des premiers protestants. En exaltant les institutions générales du marché, la Renaissance et surtout la Réforme le spécialiseront ; elles le voueront au négoce proprement dit, et voudront lui

* Bon gouvernement ou mauvais gouvernement ; les deux termes, volontiers humoristiques en l'occurrence, sont éventuellement interchangeables.

** L'expression « culture à un seul étage, espèce de plat unique », peut étonner. Elle correspond pourtant aux faits réels, de nos jours, dans certains secteurs de l'audiovisuel où le cadre supérieur et l'ouvrier regardent souvent la même émission de variétés ou de football à la télévision. De façon analogue, mais non homologue, la messe dominicale, le théâtre religieux et le carnaval mêlaient les classes sociales, unies pour la vision d'un même spectacle, dans les villes de la Renaissance.

*** Philippe de Vigneulles (1471-1527) né dans la bourgeoisie messine, est l'auteur d'une chronique à caractère historique, qui concerne Metz et la Lorraine.

**** Le verbe, ou le néologisme, que nous proposons ici, pourra choquer certains lecteurs. Quoi qu'il en soit, il semble bien établi que la syphilis, venue d'Amérique en France via l'Espagne et les guerres d'Italie de la fin du xve siècle, a contribué à dévaloriser, pour cause nouvelle de péril vénérien, les « maisons publiques » ou bordels dans les villes ; elle a contribué aussi à répandre des mentalités plus « puritaines » (avant la lettre), bref plus apeurées devant la sexualité devenue dangereuse, que ce n'était le cas en Europe et en France avant la découverte du Nouveau Monde.

Page suivante. Chaque époque interprète à sa manière la scène biblique du Buisson ardent, des profondeurs duquel Dieu déclara à Moïse : « Je suis celui qui suis. » La Grande Encyclopédie française du début du XXᵉ siècle, d'esprit fort laïque, dépeindra cet épisode comme la concrétisation, sous les yeux émerveillés du Prophète, de « la Divinité nationale des Israélites » (sic). Nicolas Froment, représentant d'une culture provençale bien vivante, profite, lui, de l'opportunité vétéro-testamentaire pour inscrire en son tableau une apothéose du culte marial et simultanément de l'Enfant Dieu au centre du célèbre buisson. Moïse n'aurait peut-être pas apprécié...
Nicolas Froment a exécuté cette œuvre en 1475-1476 pour l'église des Grands Carmes d'Avignon, moyennant la somme de trente écus. Selon Denis Coutagne, serait ainsi évoqué « le principe du bon gouvernement et de la paix ». Le roi René (1409-1480), qui régissait alors la Provence, se serait présenté lui-même en un « Moïse libérateur du peuple, selon la tradition du roi Salomon et de ses successeurs ». De ce point de vue, le tableau s'accorde bien avec la conjoncture des principautés relativement heureuses qui s'inscrivent pendant la seconde moitié du XVᵉ siècle sur les territoires correspondant de nos jours à l'« hexagone ». Des princes pourvus d'un minimum de savoir et de bonne volonté sont susceptibles, en un tel climat, de recueillir au bénéfice de leurs sujets les fruits d'une paix généralement bien établie après la fin des guerres anglaises. D'inspiration flamande à certains égards et d'exécution méridionale, cette œuvre se présente comme une synthèse entre les différents courants artistiques qui s'établissent dans les limites du royaume ou aux alentours de celles-ci.

Nicolas Froment, Triptyque du Buisson ardent, panneau central : la Vierge et l'Enfant apparaissant à Moïse, Aix-en-Provence, cathédrale Saint-Sauveur.

retirer certains secteurs, comme celui de l'amour (prostitution désormais mal vue) et de la religion (indulgences dorénavant déconsidérées).

Le XVᵉ siècle est le temps des capitales : Paris bien sûr, mais aussi Tours, Avignon, qui même sans la présence physique du pape, conserve quelques beaux restes de sa puissance ci-devant pontificale, financière, etc. Citons aussi les villes chefs-lieux des « princes apanagistes, grands feudataires, et dynastes des principautés périphériques[7] » (Dijon, Rennes...). Elles sont décapitalisées après les conquêtes françaises ; mais leur influence est confirmée par les Valois. Sans barguigner, ils leur octroient des Parlements, des universités, des chambres des comptes. Sinon, pourraient-ils encadrer les nouvelles provinces ?

Plus généralement, de Louis XI à Henri II, la loyauté des cités françaises s'affirme en mainte circonstance. Il faudra, considérable rupture, qu'un clivage idéologique et religieux, d'origine huguenote, se manifeste à l'échelle nationale pour qu'une « ligue » catholique et factieuse, en retour, se forme contre la dynastie légitime. Au premier XVIᵉ siècle, on n'en est pas là : les sources du loyalisme urbain sont à la fois vivantes et anciennes ; historiquement, les villes contestaient les seigneurs, beaucoup plus qu'elles n'affrontaient les monarques. Vers 1500 ou 1550, en province, les officiers royaux, sur place, vivent en symbiose avec l'hôtel-de-ville. Les meilleurs théoriciens du centralisme monarchique, au XVIᵉ siècle, se recrutent... à Toulouse*. On aurait tort d'imaginer cette ville (du seul fait de sa localisation méridionale) comme fédéraliste ou indépendantiste.

Typiques, sur ce terrain, furent déjà les comportements de Louis XI : il encouragea de toutes ses forces la création des corps et conseils de ville. Ce faisant, il émancipait les noyaux urbains. Il n'était pas désintéressé pour autant : il espérait convertir les villes à ses projets politiques, en maniant l'irrésistible levier des exemptions fiscales. Celles-ci accroissaient en proportion, par effet de transfert, les taxes qui pesaient sur les ruraux, éternels dindons du système. Le pouvoir d'État, malgré ses aspirations à une omnipotence de façade, était de facto décentralisé, ou régionalisé. Le Conseil du roi fonctionnait à l'égard des cités en tribunal administratif, beaucoup plus qu'en Conseil des ministres. « Les gouverneurs et lieutenants généraux des provinces étaient des vice-rois, pas des super-préfets. » A Paris comme en province, les Parlements, par leurs capacités réglementaires, auraient pu jouer un rôle quasi préfectoral. Mais ces hautes assemblées judiciaires, en réalité, se composaient d'officiers issus de l'élite locale ou intégrés à celle-ci ; cela suffisait à les différencier des préfets qu'utiliseront nos autorités contemporaines.

Souvent libre d'impôts, par les bonnes grâces du souverain qui croyait moins dangereux de surcharger la paysannerie, le monde urbain s'auto-taxait de lui-même et assez librement par le biais des charges indirectes ou fermes communales. Elles concernaient les octrois et consommations de bétail, farine, vin, etc. : plus on buvait en ville, plus on avait d'argent pour reconstruire les remparts autour d'elle ; le vin sauvait les murs, les tavernes consolidaient les murailles. La fin du XVᵉ siècle, en pleine phase de récupération ou d'essor économique, fut l'âge d'or des finances urbaines ; leur produit augmentait au rythme de l'expansion des trafics et industries. La monarchie renaissante puisait dans ce pactole, par les techniques des emprunts, puis des rentes sur l'hôtel de ville (Paris, 1522), que nous avons déjà rencontrées. Les intérêts de celles-ci, servis avec régularité, offraient des

* Le plus éminent d'entre eux est Charles de Grassaille, auteur en 1538, d'une Régale de France, fortement absolutiste.

A droite. Accostage de saint Bertin et fondation du monastère de Sithieu, près de Saint-Omer. Deux moines sont encore sur l'esquif. Saint Bertin, lui, est déjà sur la terre ferme et dirige la construction du monastère, ainsi que, éventuellement, celle d'une chapelle consacrée à la Vierge (d'après les informations aimablement communiquées par Marguerite Guillaume, conservatrice du musée de Dijon). Saint Bertin, moine bénédictin, né dans le pays de Constance, suivit saint Omer jusqu'au territoire de la Morinie, et y fonda au VII* siècle l'abbaye défricheuse et convertisseuse qui porte son nom. La présente image, comme presque toujours au temps des Valois, s'avère empreinte d'anachronisme. Elle est beaucoup plus éloquente sur la renaissance économique, démographique, religieuse, industrielle et artistique du premier XVI* siècle qu'en ce qui concerne la croissance monastique aux temps des Mérovingiens tardifs et des Proto-Carolingiens. La cité de Saint-Omer, à l'arrière-plan, est ici reconstruite selon les principes d'une architecture élégante et aérée, caractéristique de l'initiale génération du XVI* siècle ; peut-être idéalise-t-elle la réalité citadine. Le rebord fortifié de la ville donne directement sur la forêt et sur la nature marécageuse (que le saint entreprend justement d'expurger au profit de sa pieuse entreprise). Les corps de métier (scieurs, manieurs de masse ou de lourd marteau, chaufourniers, maçons aux gestes précis) sont en pleine action. Les professions du bâtiment en ce temps-là sont à cheval, si l'on peut dire, sur la ville qui fournit les artisans les plus qualifiés, et sur la campagne, où se situent les fours à chaux, les carrières, les forêts, les rivières qui charrient les bois d'œuvre etc. L'artiste a bien rendu cette ambiguïté topographique de l'activité bâtisseuse.

Hors image ici, on doit se figurer, sous-jacente, la remontée des richesses monastiques, parallèle à l'essor économique général. Elles rendent possible, après 1500, l'initiative constructive des abbés des grands couvents que ne menace encore nulle suppression (à la Henri VIII) des ordres réguliers.

Il faudra attendre, pour que survienne en pays francophone une telle crise destructrice, la seconde moitié du XVI* siècle ou tout simplement la Révolution française.

Légende de saint Bertin, portes du trésor de l'abbaye de Saint-Bertin, début du XVI* siècle, Dijon, musée des Beaux-Arts.

Monsieur l'arceuesque
de Vienne pour fa
tiffaire a la requeste
quil vous a pleu
me faire de vous escrire et mettre par memoire ce que j'ay
sceu et congneu des faictz du
Roy Loys vnziesme a qui dieu

face pardon / nre maistre et
bienfaicteur / Et prince digne
de tresexcellente memoire / Je
lay faict le plus pres de la ve-
rite que jay peu et sceu auoir
souuenance / Du temps de sa
jeunesse ne scaurove parler
sinon par ce que je luy en ay

LE ROSIER
DES GUERRES*

* Nous détournons (afin de titrer ce chapitre sous les auspices de la floraison française et de l'occurrence des conflits belliqueux) l'appellation littérale qui fut donnée à un recueil de textes politiques et moraux, rédigés d'après la dictée qu'en donna personnellement Louis XI.

Cent années plus tôt, vers 1460, à l'avènement d'un roi dont la force peu à peu saura s'imposer, nous n'en sommes pas là. Les conflits idéologico-religieux sont encore à naître, le système politique se déchiffre, en toute simplicité, au niveau des structures de pouvoir et des oppositions d'intérêts.

L'environnement politique, dans lequel s'inscrit le règne de Louis XI, n'est certainement plus « féodal » au sens complet du terme ; cela n'empêche pas qu'au nom d'un « féodalisme bâtard » soient ressuscités ou créés de toutes pièces des ordres de chevalerie (Toison d'Or de Bourgogne ; Saint-Michel pour les Français). Leur but, dans un cadre sacré, revient si possible, en style chevaleresque à subordonner les hauts nobles au pouvoir du Prince. Dispensée de taxes fiscales, la noblesse en général n'est pas à plaindre, ni bernée *a priori* par le Pouvoir dans un monde où demeure exact l'apophtegme de Philippe Contamine : « Noblesse égale standing. »

La monarchie française, dès la décennie 1460, est néanmoins administrative et taxatrice : les fonctionnaires et les impôts, à l'avènement de Louis XI, peuvent apparaître comme peu considérables dans l'absolu. Ils sont déjà, d'un point de vue relatif, respectivement les plus nombreux et les plus lourds, par comparaison avec d'autres régions d'Europe. Le sens de l'État, de la nation, de la patrie, du royaume ou du pays (ces mots longtemps demeureront interchangeables) se répand dans les élites et jusqu'à un certain point dans les masses, y compris rurales. Ce sens et ce sentiment cristallisent sur la personne et la centralité du roi. Ils se diffusent par le biais d'une langue, le français : en surplus des patois, elle est communément connue, sur le mode passif et souvent actif, jusqu'au Sud de la Loire. Elle inaugure ainsi sa longue marche méridionale vers le bas-Rhône et la Garonne, aux dépens des parlers d'oc. Quant au monarque, il n'est plus tenu de s'identifier strictement à l'impossible et séduisante image de Prince vertueux. Les théoriciens admettent désormais qu'il use de *cautèle* ou de ruse, à condition de sauvegarder les apparences. Machiavel n'est pas né, mais il n'est pas loin. Le Prince quand il est Français, passe pour empereur en son royaume ; il est donc souverain « en direct » de tous les *sujets*, grands inclus, dont les devoirs sont maintenant plus lourds que ne l'étaient jadis ceux des puissants *vassaux* de type féodal. La vague révolutionnaire des années 1350-1420, qui, au dam des monarques, donna tant d'importance aux assemblées représentatives, commence à refluer. Celles-ci pourtant, sous le nom d'États Généraux et provinciaux, conservent un certain rôle, quoique subordonné. L'Église de France se dénomme depuis longtemps gallicane, donc nationale, même quand elle admet une certaine supériorité de la part de l'évêque de

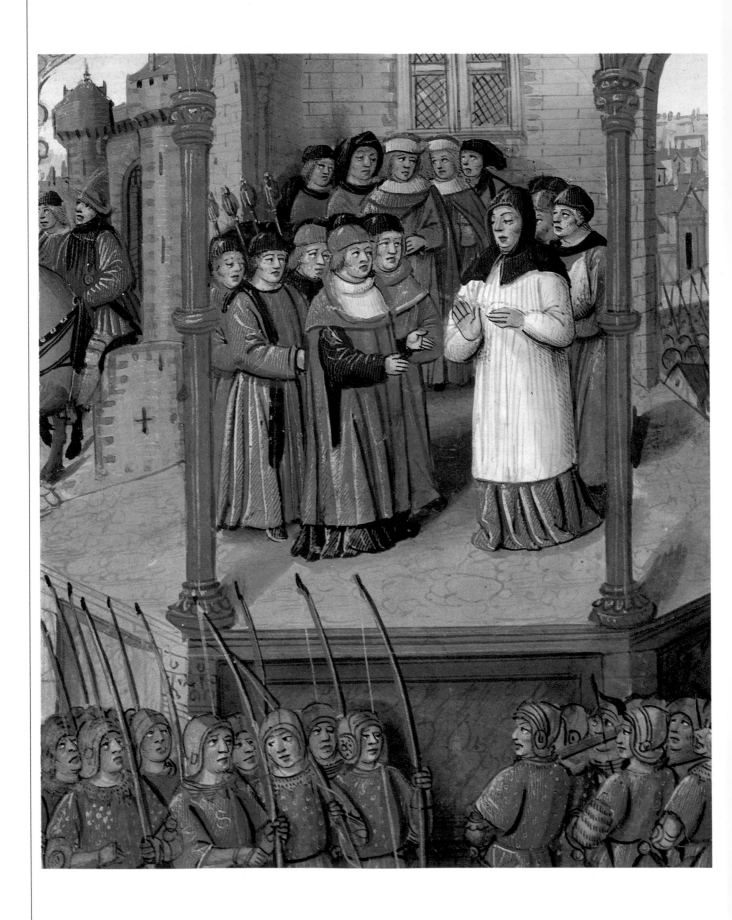

Simon de Montfort, l'Occitanie va être rattachée au royaume pour la seconde fois. Certes, il serait assez sot de la présenter comme une espèce de colonie aux ordres d'un « Septentrion » oppresseur. Sous Charles VII, le Midi, Languedoc en tête, Bordeaux en moins, avait été le boulevard des libertés françaises contre la domination septentrionale des Anglais. La « zone non occupée » répétera de façon absolument caricaturale cette situation entre 1940 et 1942. Il n'empêche que la simple différence linguistique et la vitalité des parlers occitans ou provençaux créaient toutes sortes de possibilités particularistes : or, les années 1470-1480 infligent à celles-ci des coups décisifs. Charles de Guyenne ex-Berry, frère du roi, meurt en 1472. Jean V d'Armagnac est assassiné à Lectoure en 1473.

Plus habile, l'autre grand féodal de la région, Gaston IV de Foix, a eu l'intelligente idée de mourir dans son lit en 1472 ; du coup, il laisse le pouvoir réel, en son comté pyrénéen, aux représentants directs de Louis XI. Reste le dernier des grands Armagnacs, Nemours *alias* « pauvre Jacques » : sa complicité avec Saint-Pol, connétable « félon », lui vaut l'exécution capitale en 1477, dont Louis XI à l'agonie, concevra trop tard quelques regrets. En 1480, la mort de René d'Anjou, le bon roi René dont on exagérera par la suite les réalisations culturelles en Provence, laisse cette province méridionale au roi de France (par-delà le « règne » intermédiaire de Charles II du Maine). Louis en prend possession définitive dans l'année 1481, avec le concours souvent malhonnête de la grande famille provençale des Forbin. La mainmise sur Marseille, dont Louis XI connaît l'importance, complète un axe essentiel de la vie française. Il court depuis la cité phocéenne, via Rhône, Saône, Loire et chemins terrestres, jusqu'à Paris, en passant par Lyon. A vrai dire, ce « trait » était en préparation depuis longtemps : dès 1378, le recrutement des courtisans de la cour pontificale d'Avignon s'opérait au long d'une ligne Rhône-Saône, prolongée vers l'Yonne et la Seine, la Marne, la Somme, la Meuse et la Moselle.

Seul échappe à la France, en pays d'oc, le Comtat Venaissin, protégé des hommes d'oïl par la domination papale : la culture avignonnaise ne s'en porte que mieux ; elle s'illustre à l'époque par une grande école picturale, sous influences italiennes et françaises, autour d'Enguerrand Quarton ou Charreton.

En matière politique, le renforcement administratif de la présence des Valois dans le Midi, par le biais des agents de Louis XI, n'exprime qu'une moitié de l'histoire... L'autre volet du diptyque est culturel : l'imprimerie en langue française, spécialement à Lyon, inaugure en effet sous la Renaissance, ce que n'avaient pu accomplir, et pour cause, les croisades anti-albigeoises du XIIIe siècle, si francisantes qu'elles fussent *a priori*. Ainsi sera porté sur les ailes des pamphlets et des livres le parler d'oïl jusqu'aux rives de la Garonne et aux côtes du golfe du Lion. Dès Louis XI, avec quinze ou vingt années de retard sur l'Allemagne, les nouvelles techniques d'imprimerie s'installent à Paris, puis en province. La politique de « déféodalisation » de la France, efficacement menée par le roi cauteleux, n'aurait pu remporter ni surtout consolider ses succès par le seul fait des initiatives militaires et institutionnelles, même considérables. L'imprimerie amorce l'unification, si peu que ce soit, du langage écrit, voire oral, des sujets du roi ; elle va concrétiser graduellement, pendant le beau XVIe siècle, la fusion commencée du Sud et du Nord, au bénéfice unilatéral de la langue du Septentrion.

« Occitaniste » à sa manière... qui est bien française, Louis XI n'est pas dénué non plus de politique méditerranéenne : passons sur ses démêlés avec les Aragonais, auxquels il arrache le Roussillon (1462-1475). Pas pour long-temps ! La solution définitive des questions catalanes ne se matérialisera qu'en 1659, sous Mazarin, après neuf siècles de tergiversations depuis Pépin le Bref : le prélat soudera enfin au royaume de Louis XIV les terres rous-sillonnaises, que Charles VIII, revenant sur les conquêtes de Louis XI, avait restituées entre-temps à l'Espagne (1493)*.

Vis-à-vis de l'Italie, la politique de Louis XI se résume en quelques mots : tenir le pape en « respect » ; et préserver, comme un honnête courtier, l'équilibre péninsulaire. S'agissant du premier objectif, le mot de « respect » est porteur de significations diverses. D'une part, Louis XI veut enlever aux clergés de France les possibilités d'autodétermination et d'élections libres (pour le choix des évêques, des abbés de monastères...) qu'ils avaient reçues, en principe, de la Pragmatique Sanction de Bourges (1438). Plus puissant que l'encore faible Charles VII des années 1430, Louis XI (dont les deside-rata, de toute façon, varient selon les circonstances et les années) tantôt abroge et tantôt renégocie la Pragmatique jadis octroyée par son père. Il fait pression sur les prêtres provinciaux pour les obliger à élire leurs évêques parmi ses créatures, qui souvent sont grands seigneurs. En contrôlant ainsi les prélats (et d'autre part en s'assujettissant, dans le domaine laïc, les métiers jurés** ainsi que les conseils d'échevins), Louis XI acquiert d'impa-rables moyens de domination sur les villes. A la longue pourtant, le noyau-tage royal de l'épiscopat mécontente l'Église, même et surtout gallicane ; elle est jalouse de son indépendance « tous azimuts » envers l'État et vis-à-vis de Rome. Pour renforcer sa propre mise, Louis XI doit donc s'appuyer sur la troisième force disponible en matière de pouvoir ecclésiastique (outre lui-même et l'Église de France), il s'agit de la papauté. Elle n'est pour lui qu'une amie douteuse qu'il traite volontiers à grands coups d'insultes, mais ce peut être une alliée quand même. D'où, entre autres exemples d'une politique fluctuante, l'ordonnance royale d'octobre 1472, qu'on baptisera concordat d'Amboise, promulguée après négociations avec le Saint-Siège : ce texte reconnaît au pape, pendant une partie de chaque année civile, la collation des bénéfices ecclésiastiques, mais le pontife à son tour doit pren-dre l'avis du roi pour l'octroi des bénéfices importantissimes, autrement dit les évêchés... Une commune hégémonie monarchico-papale s'établit ainsi sur l'Église de France, servie désormais par un clergé royal qui tantôt s'afflige et tantôt jouit de cette situation simultanément privilégiée et subor-donnée.

En Italie proprement dite, les relations de Louis, sur le tard, vont s'aigrir néanmoins vis-à-vis d'une papauté dominatrice. Contre celle-ci, la France s'appuie en 1478 sur les grandes puissances « capitalistes » ou du moins marchandes, en péninsule : Florence, Milan, accessoirement Venise. Louis XI cependant utilise à ce propos les moyens purement diplomatiques et non point militaires ; contrairement à la réputation de cruauté dont on l'affublera *post mortem* (pas toujours à tort) il se borne en l'occurrence, pour l'essentiel, aux voies de douceur. La péninsule s'en trouve bien et lui doit, ainsi qu'à quelques autres responsables, plusieurs décennies de calme intérieur, qui ne sont pas inutiles aux grands accomplissements de la Renaissance médicéenne. Charles VIII et le « bon » Louis XII, au contraire, ensanglanteront les pays d'au-delà des Alpes. Étonnante figure de Louis XI (si rusé, voire méchant soit-il) comme prince de la paix, à l'opposé des

* Il n'est pas inutile de préciser ici, en note, quelques points saillants de cette chronologie roussillonnaise qui, à défaut de tels éclaircissements, pourrait laisser perplexe le lecteur :
1 - dans l'Empire carolingien (né des initia-tives préalables de Pépin le Bref) Roussillon et Catalogne sont un coin lati-no-catholique, voire gallo-franc, enfoncé dans une Espagne alors islamique. D'où peut-être une certaine vocation franco-centrique à Perpignan... et même à Bar-celone.
2 - de 1462 à 1475, à travers de nom-breuses péripéties, parfois sanglantes, un transfert de souveraineté fait passer le Roussillon (dont Perpignan) de Jean II d'Aragon à Louis XI de France.
3 - en 1493, Charles VIII restitue le Roussillon à l'Espagne, dans le cadre d'une politique générale de détente avec les grandes puissances voisines de la France (en attendant la phase de tension avec divers États italiens).
4 - au traité des Pyrénées (1659), l'Espa-gne cède définitivement le Roussillon à la France.

** Nous avons noté *supra* p. 29 que la monarchie, sous la Renaissance, tendait à contrôler étroitement les métiers jurés, corporations ou guildes, « notamment par des taxes variées, sous pré-texte d'amendes, cotisations, octroi ini-tial des statuts, etc. ».

représentations diaboliques que donneront de lui Walter Scott et le romantisme. Prince de la paix, mais aussi roi de la reprise des productions et des échanges : engagée depuis le milieu du siècle, celle-ci prend forme et vigueur définitives aux environs des années 1470-1480.

Louis XI meurt le 30 août 1483. Son fils et successeur Charles VIII est âgé de treize ans. Pour les huit années qui vont suivre, il abandonne l'administration effective ou « tutelle » du royaume à sa sœur aînée Anne, intelligente et sérieuse, excellente joueuse d'échecs ; elle est le portrait de son père, moins quelques atrocités inutiles ; il la tenait pour « la femme la moins folle qu'il y ait en ce royaume, car de sage il n'y en a point ». L'époux de cette dame, Pierre de Beaujeu, frère cadet du duc de Bourbon, joue aussi un rôle non négligeable dans cet interrègne qui est régence de fait. Nécessairement, contre les méthodes parfois brutales et surtout omniprésentes de feu Louis XI qui voulait tout voir et contrôler par lui-même, une réaction défiante des grands féodaux cherche à se faire jour.

Vis-à-vis de celle-ci le groupe des Beaujeu, même et surtout quand il se veut libéral, représente en droite ligne les strictes permanences de l'autorité monarchique. Il doit néanmoins composer avec deux cliques adverses ; elles sont rassemblées (notamment) autour de divers princes du sang royal. L'une d'elles soutient le duc d'Orléans. Il régnera, sous le nom de Louis XII, après la mort de Charles VIII, qui disparaîtra en 1498 sans laisser d'héritier direct. L'autre cabale se noue autour de deux cousins du roi, plus éloignés : le duc de Bourbon, frère aîné de Beaujeu ; et un Valois-Anjou, René II de Lorraine, petit-fils du bon roi René en ligne maternelle. Les trois « sodalités* » ainsi confrontées s'intéressent avant tout au pouvoir : les contrastes idéologiques entre elles sont minces ; on les verra tour à tour, et l'une contre l'autre, revendiquer la réunion des États Généraux, conformément à une habitude bien enracinée des grands de l'Ancien Régime, qu'ils soient ou non contestataires ; ce souhait émanera des Beaujeu dès 1483, et du duc d'Orléans dans les années suivantes. En fait ce personnage, une fois devenu Louis XII, quinze années plus tard, n'aura pas, sur le terrain, une politique bien différente de celle de Charles VIII ! Néanmoins, les positions qu'occupent les uns et les autres à l'avènement du jeune Charles sont diverses : le couple Beaujeu est plus proche du pouvoir réel que ne le sont ses deux concurrents ; ainsi s'introduisent certaines divergences. Les Beaujeu furent avantagés par les dernières volontés de Louis XI, mais ils risquent d'être submergés sous une cohue d'adversaires et compétiteurs qui voudraient s'introduire dans le Conseil d'en haut, tel qu'il persévère dans l'être après le trépas du roi soupçonneux. Anne et Pierre vivent les problèmes difficiles d'une régence que connaîtront après eux Catherine et Marie de Médicis, Anne d'Autriche et Philippe d'Orléans. Ils acceptent donc volontiers de convoquer les États Généraux : ils espèrent opposer la volonté populaire, ou soi-disant telle, incarnée par cette assemblée représentative, aux appétits des princes, Orléans, Bourbon, Lorraine-Anjou et autres « féodaux » ; ceux-ci de leur côté désirent culbuter hors du pouvoir la famille des nouveaux « régents ».

Les États Généraux, réunis à Tours en janvier 1484, au niveau des trois ordres, procèdent d'élections qui, dans les conditions de l'époque, ne sont pas fictives ; elles eurent lieu parmi les bailliages ou les villes. Philippe Pot,

Beaujeu vont résoudre, à titre initial, durable ou définitif, selon les cas : il s'agit de la guerre civile, et de la Bretagne.

Guerre civile ou *folle*, d'abord ; celle-ci, mauvais *remake* de la ligue du Bien public, s'étend de décembre 1486 à juillet 1488. Elle simplifie les coteries en présence : au parti de la dame de Beaujeu, devenue Bourbon en 1488, s'oppose la faction du duc Louis d'Orléans, premier prince du sang. Au culmen de ses forces contestataires en 1486, Orléans, futur Louis XII, s'allie au « roi des Romains » Maximilien* et au duc François II de Bretagne ; son camp inclut les grands seigneurs du royaume ou certains d'entre eux : le connétable de Bourbon parent des Beaujeu se dérobera vite à ses avances, mais le sire d'Albret, le comte d'Angoulême, le cardinal Pierre de Foix et bien d'autres grands sont de la partie... Il manque aux princes conjurés**, et pour cause, l'appui capital des villes, à commencer par Paris. Leur fait aussi défaut le soutien du Parlement, de l'université. Les unes et les autres se méfient des projets d'une clique de grands seigneurs. Après diverses péripéties militaires, Louis d'Orléans, qui ne « fait pas le poids » devant l'artillerie et les mercenaires des cousins de la branche aînée, est battu à Saint-Aubin-de-Cormier (Ille-et-Vilaine actuelle) en même temps que ses alliés bretons (27 juillet 1488). La guerre folle n'a certes pas ravagé la France, alors en plein essor, comme l'avaient fait, par contre, les guerres de Cent Ans. Mais l'affaire de Saint-Aubin est loin d'être une partie de plaisir : sept mille cadavres, dont 21,4 % sont des royaux, restent sur le champ de bataille. Un jeune et (pour l'heure) brillant stratège, La Trémoille, d'une grande famille en pleine ascension, a vaincu les coalisés et du même coup, les Armoricains (l'affaire sera grosse de conséquences pour la Bretagne). Fait prisonnier, Orléans va errer de forteresse en forteresse ; sa captivité dure près de trois ans : en juin 1491, Charles VIII, sans prévenir sa sœur Anne de Bourbon ex-Beaujeu, prend l'initiative de délivrer l'Enfermé qui, pour l'heure, était détenu dans la tour de Bourges. Les deux jeunes hommes, roi et prince, tombent dans les bras l'un de l'autre. Cet acte politique fait honneur à l'intelligence du jeune Charles, si souvent décriée. Anne, femme des solutions dures, est prise de court par le petit putsch qui s'accomplit de la sorte ; il réconcilie les deux branches, jusqu'alors ennemies, à l'intérieur de la famille royale. La voie dorénavant est libre pour une pacification de longue durée des querelles aristocratiques : leur énergie intrinsèque pourra se détourner hors du royaume, et s'écouler notamment vers l'Italie, qui volontiers s'en serait passée. L'entente ainsi rétablie dans le clan des Valois n'est pas étrangère non plus à la mise en train des solutions définitives du problème breton.

Celui-ci n'est pas seul en cause : il existe également une question méridionale, un irrédentisme désuet, mais toujours possible, des terres ouest-occitanes, bref de ce que nous appelons aujourd'hui l'Aquitaine ou le Sud-Ouest. Les princes rebelles, Comminges, Angoulême, Albret, Foix, dominent cette grande aire au temps de la guerre folle, depuis les Charentes jusqu'aux Pyrénées. Leurs sujets, il est vrai, ne les suivent pas, et sont plus royalistes que régionalistes. De février à mars 1487, une remarquable campagne d'hiver menée par Anne et Charles soumet toute la zone qui va de Saintes à Bordeaux et de Bayonne à Parthenay. Charles n'a plus qu'à marier l'ex-rebelle Angoulême à la redoutable Louise de Savoie, en des noces dont naîtra un jour... François Ier.

La Bretagne, c'est une autre affaire. Elle est double, et linguistiquement coupée ; francophone à l'Est ; celtophone à l'Ouest. Jusqu'en 1341, date de la mort du duc Jean III, on pouvait considérer la péninsule comme un « fief incontesté du royaume de France ». Mais après une période de crise, la tentation renouvelée de l'indépendantisme traverse comme un fil rouge le principat des cinq ducs, depuis Jean V qui gouverna quarante-trois ans (de 1399 à 1442) jusqu'à François II, en queue de liste (1458-1488). Le duché bat monnaie. Ses institutions propres — Conseil étroit, chambre des comptes —, sont vigoureuses. Deux mille navires bretons, souvent de modeste tonnage, prennent acte de la renaissance économique ; ils trafiquent depuis la Zélande et les côtes anglaises jusqu'à l'Espagne. Un art flamboyant se déploie pendant le xve siècle sur les rivages armoricains à partir de l'informelle école d'architecture et de sculpture du Folgoët*.

Les performances de tous ordres dans le domaine culturel et matériel ne suffisent point à fonder une indépendance nationale. De toute façon les victoires au moins partielles qu'avait obtenues Louis XI contre les princes qui jalousaient son pouvoir sur le territoire français, laissent la principauté bretonne de plus en plus isolée ; elle est vouée de ce fait, lors des années 1480, à la recherche de compromettantes alliances hors du royaume, en direction de l'Empire, de l'Angleterre, de l'Espagne... La participation du duc François II de Bretagne à la coalition aristocratique de guerre folle fournit prétexte à l'invasion française que dirige La Trémoille, et qui ravage la péninsule. Les Bretons, en même temps que le duc d'Orléans, sont défaits à Saint-Aubin-du-Cormier. Le traité de Sablé, ou « traité du Verger » (août 1488) et la mort du duc François II (septembre) suscitent des candidatures au mariage : elles en veulent à la main de la fillette du feu duc, Anne de Bretagne. Petite femme fine et cultivée, dure caboche armoricaine, qu'un folklore ultérieur fera duchesse en sabots, Anne voudrait sauvegarder tant bien que mal ce qui reste de franchises en son duché ; elle souhaite, pour sa propre personne, un mari qui soit roi, voire empereur. En 1490, l'adolescente, âgée de quatorze ans, décide de donner sa main à Maximilien, proche héritier du titre d'empereur, et dont elle espère un appui contre les Français. Main contre jambe : comme signe d'accord, le fiancé impérial, retenu dans ses États plus à l'Est, se borne effectivement à expédier jusqu'en Armorique un envoyé officiel, qui glisse une jambe nue dans le lit pseudo-conjugal où s'étend pour la forme Anne de Bretagne. Les Français continuent de dévaster le duché ; ils ne veulent rien savoir de ces fausses noces**. Dans des scènes dignes de l'*Iliade*, ou de *La Belle Hélène*, ils assiègent Rennes pour obliger Anne à rompre son premier mariage, unijambiste et platonique. Elle épouse Charles VIII en décembre 1491. Elle l'aimera jalousement sans réciprocité pleine et entière. Ainsi prennent fin les rêves d'indépendance péninsulaire ; ainsi commence une procédure d'intégration pour le moins partielle de la Bretagne au royaume, procédure qui ne prendra sa signification définitive (et encore !) qu'en 1532, lors de l'édit d'union ; il sera publié à Nantes après négociation avec les États régionaux.

Page précédente droite, en bas. « Ce reliquaire en or incrusté d'émail montre Charles le Téméraire, duc de Bourgogne, à genoux, ayant entre ses mains une petite boîte en cristal qui, en fait de reliques, contient un doigt de saint Lambert. Derrière le duc, dont le visage est grave et peut-être anxieux, se tient saint Georges qui semble lui manifester du respect par le simple fait de soulever son casque. » La devise de Charles « Je lay emprins » est gravée à la base de ce bel objet qui fut donné par Charles à la cathédrale Saint-Lambert de Liège en 1471. Il s'agit d'une œuvre de Gérard Loyet ; actif à Lille, Bruxelles et Anvers jusqu'en 1477, ce personnage portait le titre officiel d'orfèvre ducal dès 1466-1467. Gérard Loyet reçu 1 200 livres de la trésorerie bourguignonne pour la confection du reliquaire. « Judicieusement évacué vers la Hollande puis vers l'Allemagne à deux reprises pendant la Révolution française, le chef-d'œuvre a survécu aux destructions de la cathédrale Saint-Lambert et fut rétrocédé ensuite à l'église Saint-Paul de Liège devenue cathédrale à son tour, dans le trésor de laquelle on peut toujours l'admirer. » (D'après Paul Coremans.)

A ne considérer que ce tour de force d'orfèvrerie, offert par Charles au sanctuaire liégeois, on aurait une faible idée des relations orageuses qui s'étaient préalablement établies entre le duc et la bonne ville de Liège. Elles avaient connu leurs pires développements lors de la révolte citadine de 1468, réprimée par Charles et, contraint et forcé, par Louis XI récemment piégé à Péronne.

Gérard Loyet, reliquaire de Charles le Téméraire, Liège, cathédrale Saint-Paul.

* Finistère actuel, arrondissement de Brest, canton de Lemeven. Un atelier de sculpture sous protection ducale y fonctionne de 1425 à 1455 environ, fournissant des chefs-d'œuvre, et donc des modèles aux artistes bretons.

** Le traité du Verger avait en effet stipulé que les filles du duc breton François II ne pourraient se marier sans les conseil, avis et consentement du roi de France.

Maison de Savoie

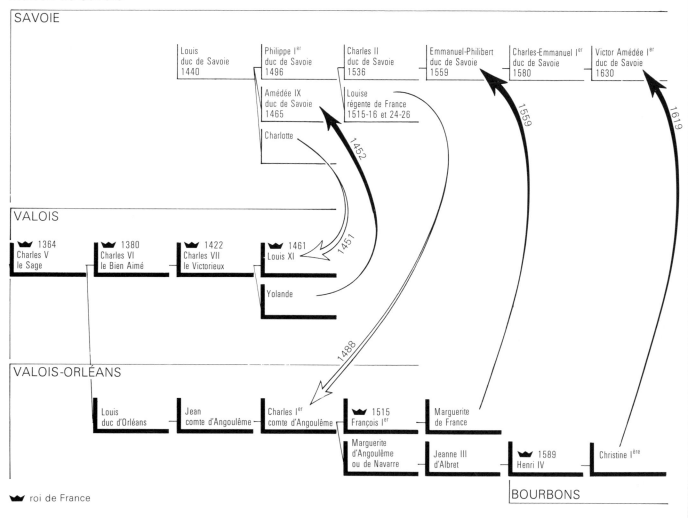

SAVOIE

Louis
duc de Savoie
1440

Philippe Ier
duc de Savoie
1496

Charles II
duc de Savoie
1536

Emmanuel-Philibert
duc de Savoie
1559

Charles-Emmanuel Ier
duc de Savoie
1580

Victor Amédée Ier
duc de Savoie
1630

Amédée IX
duc de Savoie
1465

Louise
régente de France
1515-16 et 24-26

Charlotte

1452

1559

1619

VALOIS

1364
Charles V
le Sage

1380
Charles VI
le Bien Aimé

1422
Charles VII
le Victorieux

1461
Louis XI

1451

Yolande

1488

VALOIS-ORLÉANS

Louis
duc d'Orléans

Jean
comte d'Angoulême

Charles Ier
comte d'Angoulême

1515
François Ier

Marguerite
de France

Marguerite
d'Angoulême
ou de Navarre

Jeanne III
d'Albret

1589
Henri IV

Christine Ière

BOURBONS

roi de France

99

L'EXUTOIRE
PÉNINSULAIRE

es mois de mai-juin 1491 voient l'arrivée définitive de Charles VIII « aux affaires ». Sa sœur Anne de Beaujeu, puis Bourbon, qui fut longtemps prépondérante, vient d'accoucher d'une petite fille, et se détourne quelque peu de la politique active ; en tout état de cause, elle tend à s'effacer, d'assez bonne grâce, à cause des initiatives récentes et conciliatrices que Charles a prises. De son propre chef, il a rendu liberté et amitié au cousin Louis d'Orléans. Au printemps de 1491, Charles est effectivement « majeur ». Au physique, il est si petit que quand il chevauche on a l'impression de ne voir qu'une tête sur une monture. Il est laid, lippu, à grand nez aquilin, cheveux longs, barbe rousse. Les yeux sont noirs, saillants, globuleux. Le regard est vif et pénétrant. Le visage ne tardera point à maigrir et enlaidir. Sportif, le roi dont l'écriture est ferme sait se faire majestueux et secret, rêveur et mystique. Mais soyons objectifs : Charles est très loin d'être génial. Raisonnablement féru d'histoire romaine et française, de livres de sagesse, de vies des saints, d'architecture, de peinture et de romans, comprenant le latin et l'italien, il passe pour assez cultivé, davantage en tout cas que ne sont généralement les princes français, qui de ce point de vue sont la risée de l'Europe érudite et surtout de l'Italie pendant les années 1490. Au Conseil d'en haut, la clairvoyance n'est pas le trait permanent du nouveau roi que M. Quilliet[1] avec quelque exagération qualifie même de « débile de première grandeur » ; Charles fait preuve, néanmoins, en ce suprême aréopage, d'affabilité, d'esprit de décision, et d'un optimisme contagieux qui « boit l'obstacle » sans toujours l'annuler.

Chasseur, Charles fait chambre commune avec la reine, avec les valets et les chiens : ceux-ci mordent les tentures et compissent l'ameublement. Joueur et tournoyeur (façon comme une autre d'organiser des manœuvres militaires), il s'imbibe de mentalité chevaleresque et préside aux destinées courtoises de l'Ordre de Saint-Michel, sous le patronage pictural d'un archange. Homme de plein air, il s'éprend de mainte dame, et sans fougue ; il n'aime que modérément sa conjointe Anne, dévouée, possessive. La piété de Charles est quotidienne et profonde. Dominée du persistant désir d'un départ en croisade, elle redouble d'ardeurs à partir de 1497. Elle autorise dans les débuts bien des passades, mais interdit le règne en titre d'office d'une maîtresse durable. Loyal, brave, capable de tendresse et d'affection, généreux, volontaire, juste, bon, entouré de jeunes hommes combatifs, excellent artilleur, Charles incarne, non sans gaffes, l'idéal d'une monarchie religieuse, équitable ; elle se veut guerrière hors du royaume, mais à peu de frais. On est loin, en ce qui concerne cet homme, des stéréotypes qu'ont entretenus jusqu'à nos jours d'excellents historiens ; de façon sommaire, ils présentent le pénultième roi du XVe siècle comme inintelligent, voire inconscient[2].

La politique extérieure du souverain juvénile tient en deux mots : neutraliser, aux moindres frais, la coalition des trois grandes puissances, Empire, Angleterre, Espagne, qui prendrait le royaume en tenailles ; et faire valoir en Italie une souveraineté sur les territoires napolitains ; le roi de France croit les avoir hérités, à tort ou à raison, du fait de son ascendance angevine[3].

Du côté anglais, par le traité d'Étaples (1492), la France achète une fois de plus à gros prix d'argent le départ ou la non-intervention du monarque de Londres, à l'endroit des provinces septentrionales. Ce texte garantit que la Bretagne, devenue satellite des Valois, ne sera plus pomme de discorde entre les monarchies française et britannique. L'appétit mercantile des blonds voisins du Nord deviendra proverbial : pour l'heure, il est ravitaillé, une fois de plus, et de façon utile, en espèces sonnantes et trébuchantes, par les agents de Charles VIII. De toute manière, nous l'avons noté, l'Angleterre depuis le début des années 1450 est entrée dans un processus d'insularisation symbolique : la folie d'Henri VI dès 1453 avait préludé aux règlements de comptes de la guerre des Deux-Roses. L'argent qu'ont déversé par-dessus le Pas-de-Calais Louis XI et puis son fils aide à poser les fondements de ce qui deviendra la puissance des Tudor, intérieure et maritime ; elle se déprend des aventures continentales.

En 1493, sur d'autres fronts, quelques concessions territoriales viennent apaiser l'Empire, et momentanément l'Espagne. Pour adoucir ces grands États, la France se dessaisit, contre compensation en colis d'or et de soie, des jalons qu'avait plantés Louis XI dans la Franche-Comté, l'Artois, le Roussillon. Là aussi, l'argument armoricain est capital : ces « abandons » français sur les frontières de l'Est (et du Sud) incitent Maximilien, en contrepartie, à renoncer de manière implicite aux prétentions bretonnes qu'il pourrait formuler du fait de son bref « mariage » avec la duchesse Anne. Est-ce à dire que la France, ainsi tranquillisée sur sa façade atlantique, a vraiment sacrifié des gages précieux, inséparables de ses « frontières naturelles », dans leurs modalités occidentales ou méridionales... Rien n'est moins sûr. Les trois territoires « délaissés », Artois, Comté, Roussillon, ne seront définitivement rattachés au royaume que beaucoup plus tard, sous Louis XIV. Il y a quelque anachronisme à les déclarer « perdus », par anticipation, dès la fin du XVe siècle. On était encore très loin, aux années 1490, d'une image hexagonale de la nation, projetée bien au-delà de l'Aisne et de l'axe Saône-Rhône. L'histoire ne saurait faire grief à Charles VIII d'avoir récusé (sans le savoir) cette image géométrique à six côtés. On ne perd vraiment que ce qu'on possède pour de bon.

Restent les randonnées italiennes du jeune roi. Leur fondement légal, de nos jours, paraît désuet ; il n'était pas sans valeur aux yeux des hommes du XVe siècle, pétris de juridisme pointilleux. Par testament, inattaquable, selon les uns, contesté au gré des autres, Louis XI avait hérité, en pure théorie, des possessions de la maison d'Anjou, celles-ci incluant le royaume de Naples, et même le territoire purement « imaginaire » de Jérusalem. En janvier 1494, la mort de Ferrant Ier d'Aragon, monarque réel du pays napolitain, ouvre une succession : Charles VIII entend profiter de cette conjoncture, et faire valoir ses prétentions historiques à l'encontre des successeurs de Ferrant fraîchement intrônisés sur place*. Les circonstances paraissent favorables : progressivement ramenés à quelque obéissance (pas pour toujours) par Louis XI et Anne de Beaujeu, les grands dans le royaume ne sont plus en état ni en désir de fomenter une guerre civile, serait-elle « folle ». L'amitié a refait surface entre Charles VIII et son cousin Louis d'Orléans ; ainsi s'est colmatée la brèche par où pourraient s'engouffrer encore les luttes armées entre Français. Une Cour réunifiée, qui apprivoise déjà les grands aristocrates, s'accroît en effectifs autour du souverain. Elle ne fera que grandir, embellir et coûter plus cher lors de la première guerre d'Italie (1494-1495). Au vu de ces phénomènes, les courtisans professionnels, dont l'espèce est en voie d'expansion, n'apparaissent pas simplement comme d'ex-soudards ou descendants d'ex-soudards en voie d'autocivilisation pacificatrice dans le milieu curial. Ces hommes sont plutôt des guerriers que la monarchie met à son service ; elle les détourne des querelles intranobiliaires pour les employer militairement dans l'aventure extérieure et nationale. De fait, en 1493, année de paix, les Français s'ennuient ; ou du moins s'ennuie le sang bleu qui bouillonne en leur nom. Une partie de la jeune noblesse n'est pas mécontente de courir à l'équipée, à la gloire, voire à la fortune. L'occasion fait le larron : le duc d'Orléans, soutenu par une faction d'amis (dont fait partie le maréchal de Crèvecœur), aimerait profiter du temps qui court ; il voudrait mettre en œuvre des prétentions territoriales sur le duché de Milan ; elles lui viennent d'une grand-mère, Valentine Visconti ; elles laissent froid Charles VIII, qui ne pense qu'à Naples. D'autres cabales, dont celle des Beaujeu, récusent discrètement, sans succès, les lobbies et les lubies d'expansionnisme qui environnent le jeune Charles. La reine Anne n'est guère enthousiaste quand elle pense aux séparations conjugales, même momentanées, qu'entraînera la guerre par-delà les Alpes.

Tout bien posé, il demeure exact que le royaume, au début des années 1490, est en quête ou même en gésine d'une « politique méditerranéenne », sorte d'immense serpent de mer qui traversera toute notre histoire, des Valois aux pompidoliens. Le temps n'est plus où le Sud languedocien et rhodanien, jadis base de départ pour la croisade de saint Louis, fonctionnait modestement comme ultime refuge de la monarchie-croupion du jeune Charles VII. Sous Charles VIII, forte de sa propre expansion et des acquis de Louis XI, la France est redevenue ce qu'anachroniquement on appellerait une superpuissance. La nature a-t-elle horreur du vide ? On ne s'étonne pas en tout cas que cet excès de force vive aille se répandre vers une zone de moindre résistance et de séduction maximale : l'Italie, renaissante et divisée. La proie péninsulaire est plus saisissable que ne sont l'Angleterre, l'Espagne et l'Empire, trio de partenaires vigoureux, dissuasifs...

La motivation humaniste existe, mais n'est pas capitale. Jean de Ganay, président au Parlement de Paris, accompagne Charles VIII au-delà des Alpes ; il se montre soucieux de « fouiller dans les bibliothèques italiennes » ; mais ces préoccupations éclairées sont peu répandues dans l'état-major et la bureaucratie de l'armée d'invasion. L'efflorescence littéraire et artistique du royaume de France sera conséquence proche ou lointaine des guerres italiennes ; au point de départ, elle ne fournit pas d'incitations majeures aux Français qui veulent passer les cols. A Lyon, à Marseille et dans tout le Sud-Est, l'initiative « sudiste » du jeune roi rencontre cependant un écho favorable, y compris auprès des commerçants, des hommes d'affaires... Elle

* Charles VIII épiait depuis quelque temps l'héritage napolitain. A Ferrant Ier d'Aragon, succède localement Alphonse II à partir de la fin de janvier 1494 ; puis après l'abdication d'Alphonse (janvier 1495), c'est au tour de Ferrant II d'Aragon, dit « Ferrandino », de devenir souverain de Naples.

s'achèvera fort honorablement au XVIIIe (Dubois, Fleury, Tencin, Bernis). Robinophile et laïcisant, Louis XIV donnera la seule entorse à cette règle, tant il se méfiera en général des créatures qui furent ainsi « rougies » (cardinalisées) par la cour de Rome puisque aussi bien leur loyauté en principe va au pape, et non au monarque français. Plus largement, certains des évêques pourvus ou non de la pairie sont présents au Conseil de Charles VIII et Louis XII, en raison de leur utilité politique et technique, et non pas pour s'occuper d'affaires spirituelles ou religieuses. Parmi eux, outre les Briçonnet et Amboise, on trouve les Pompadour, pépinière épiscopale, venue de noblesse limousine. L'un d'eux Geoffroy de Pompadour a su s'imposer contre l'archevêque de Bordeaux à la suite d'une guerre privée menée avec succès par les forces « pompadoriennes » (la guerre civile disparaît à cette époque, mais la guerre privée quoique en régression lui survit quelque peu). Grand chasseur de bénéfices, ce Geoffroy, évêque de Périgueux puis du Puy, et maître des comptes, est un membre écouté du Conseil au temps des Beaujeu, jusqu'à la semi-disgrâce que lui vaut en 1486 une participation au complot orléaniste. La famille Pompadour sortira néanmoins grandie et consolidée de ces avatars épiscopaux et « conseillistes » ; ils s'avéreront bénéfiques à la haute fortune du lignage.

A l'intersection des ordres privilégiés (clergé et surtout noblesse) et de la roture, on trouve encore au Conseil d'en haut les chanceliers de France : parmi eux, un Briçonnet, deux Rochefort (ex-bourguignons) ; un Jean de Ganay ; leurs familles viennent de la bourgeoisie robine, notariale ou marchande, à travers des stages intermédiaires dans l'anoblissement, qui ne sont pas toujours obligatoires.

S'agissant encore de la « politique des cadres », menée par le roi ou en son nom, les familles chancelières au sang mal dégraissé nous rapprochent enfin du fameux « peuple gras » dont certains spécimens (les Robertet, les Briçonnet) furent déjà envisagés ici-même. Dans l'échantillon de quelques dizaines de bourgeois ou ex-bourgeois qui assistent successivement au Conseil d'en haut pendant les décennies qui courent de Louis XI à Louis XII, on rencontre des intellectuels d'origine éventuellement parlementaire ; des experts en finance, marine ou diplomatie ; des gens de marchandise ou de justice ; des parvenus purs et simples surgis d'une famille de bouchers ; et même un médecin du roi, Adam Fumée, qui devient maître des requêtes : le corps des maîtres des requêtes est formé de juristes qui environnent ou pénètrent le Conseil d'en haut ; il comprend des personnes de source assez diverse, venues de la robe, y compris médicale, mais venues aussi du barreau napolitain (Michel de Riez) ou même de la bâtardise noble (Seyssel).

Au total, les hommes du peuple gras font une remarquable percée dans le Conseil d'en haut, lors des dernières années de Louis XII ; ils y constituent momentanément autour de Florimond Robertet, la couche sociale dominante, avec Ganay, Poncher, Cotereau, Hurault, Beaune-Semblançay et le petit noble Batarnay ; par contrecoup, le règne de François Ier, en sa première phase, produira une réaction antibourgeoise, marquée par la liquidation de Semblançay et des Poncher ; ils seront victimes de l'ire du nouveau roi, victimes aussi de la classique chasse aux boucs émissaires. Dans l'ensemble, au cours du demi-siècle qui va de Louis XI à Louis XII, le Conseil d'en haut reflète assez fidèlement les diversités, rapports de force et snobismes qui sévissent à l'intérieur des hautes élites de la nation ; elles incluent dans leurs quintessences une majorité noble et une forte minorité bourgeoise ; la première demeure peu perméable aux tentatives plus ou moins ratées de suprême ascension sociale et de complète intégration nobiliaire que voudrait effectuer la seconde. Les systèmes de dédains fonctionnent aussi à l'intérieur du Conseil d'en haut, en quoi ledit organisme est bien de son temps. Malgré ces quelques fractures, le Conseil comme incarnation collective de la sagesse (supposée) du roi de France, se tient sur une ligne nationale et grosso modo antiféodale, mais nullement antinobiliaire ; il met en échec, avec l'aide de l'armée, les entreprises déstabilisantes qui procèdent de l'initiative des princes du sang. Le Conseil est recruté suivant les seuls choix du roi ; cette sélection autoritaire réduit à un rôle platonique les États Généraux qui en principe constitueraient pourtant une structure adéquate pour la représentation collective. En dépit de telles carences, le Conseil est relativement « typique » des classes dirigeantes du pays ; elles lui communiquent leurs mesquineries et leurs bagatelles de préséance ; il prend acte, pour son propre compte, de leurs démarcations internes et fondamentales, entre les sangs bleus ou pas vraiment bleus. Il est moins isolé des couches supérieures de la société globale que ne sera son homologue dans la « monarchie administrative » du XVIIe siècle, et dans l'État louis-quatorzien. Celui-ci sera certes plus vaste, plus développé, plus puissant et plus organisateur que ne l'était le léger appareil directif à l'époque des Valois ; mais l'État-soleil n'en deviendra que trop auguste, et coupé davantage des forces vives qu'incarnent la noblesse, le clergé, la marchandise ; cette coupure s'opérera au profit étroit de la robe du Conseil, peuplée des hauts robins et des descendants de hauts robins ; ils « noyauteront » voire monopoliseront le Conseil suprême et ses entours, de 1661 à 1715.

CHAPITRE 4

STRATÉGIES HUMANISTES ÉVENTUALITÉ PLURALISTE

Taddeo Zuccaro, fresque de la salle des Fastes, Caprarola, près de Viterbe, palais Farnèse.

François Ier, arrière-arrière-petit-fils de Charles V venait d'une lignée cadette qui normalement n'aurait pas dû accéder au trône, si Charles VIII et Louis XII avaient eu progéniture mâle. Le jeune homme fut élevé dans un milieu familial où fleurissaient l'amour des belles lettres, la pratique du sport et parfois l'inclination aux fredaines. Trois voies qu'à son tour François ne manquera point d'emprunter. Sa naissance et sa jeunesse le situent au plus près du centre et du sommet des pouvoirs d'État. Il n'est pas seulement prétendant possible au cas (qui se produira) où ferait défaut un fils de roi. Il est aussi par sa mère, Louise de Savoie, contigu à la tige issue de Louis XI : cette dame est en effet fille d'une sœur du duc de Beaujeu, qui lui-même est gendre du roi cauteleux. Enfin, en épousant la « douce, pieuse et charitable » Claude de France, fille de Louis XII et qui sera sept fois mère en neuf ans de mariage, François donne d'entrée de jeu à son prédécesseur qui n'avait pas d'héritier masculin la consolation de voir un gendre lui succéder. Le soulagement est relatif : Louis n'aimait François qu'à demi.

Héritier d'un roi de jadis (Charles V), neveu par alliance d'un autre roi (Louis XI), gendre d'un troisième (Louis XII), François est appelé de toutes parts à la haute position qui deviendra la sienne en 1515, quand décédera le Père du Peuple.

Six pieds de haut, larges épaules, cuisses musclées, mollets maigres, tibias arqués, pieds plats et nez long, François est vif d'esprit et de corps, généreux, dynamique, ouvert, mais accessible à la duperie, parfois naïf, plus verbal que réflexif. Médiocre latiniste, il fait preuve d'universelle curiosité. Poète épris des auteurs anciens qu'il se fait lire à l'heure des repas, il est aussi homme de plein air ; consacrant la matinée aux affaires, l'après-midi à la chasse, le soir aux divertissements de cour et à la danse. Cavalier, bon soldat, médiocre général, le roi n'est point *a priori* cruel ; mais sa politique, notamment pro-turque, est déjà laïcisée, bien éloignée de celle des rois sanctifiants du Moyen Age. En ce sens, mais en ce sens seulement, il est machiavélien. Épousé successivement par Claude de France et par Éléonore de Portugal, sœur de Charles Quint, François vivra d'autre part quasi maritalement avec la duchesse d'Étampes. Celle-ci tolérera les multiples passades de l'amant, autorisées par les coutumes de cour et par le prestige des fonctions royales. Avec sa mère Louise et sa sœur Marguerite, François forme indissoluble trio d'affection et de complicité : Louise est une femme de pouvoir, intéressée, adorant son « César », et qui saura mener le royaume de main de maître, pendant l'après-Pavie assombri par la captivité madrilène du roi de France. La princesse Marguerite d'Angoulême devenue en noces Marguerite de Navarre, représente d'autre part, dans la maisonnée suprême, les principes humanistes et (en matière de religion) modérément réformés. Écrivain de valeur, protectrice des premiers huguenots ou pré-huguenots, la mystique Marguerite ne franchira point le pas qui la ferait basculer vers l'hérésie pure et simple. Mais sa fille, Jeanne d'Albret, et son petit-fils Henri IV sont aux origines d'un protestantisme bourbonien qui donnera jusqu'en 1610 (et même au-delà) coloration particulière à la monarchie française, celle-ci restant favorable, pour une longue durée, aux coexistences des deux cultes, papiste et protestant (Louis XIV y mettra temporairement bon ordre).

Humaniste et dynaste, François sait s'entourer d'une cohorte de propagandistes qui soignent « médiatiquement » son image et la transmettent à l'opinion publique ou à ce qui en tient lieu ; le tout sous des dehors favorables et par le biais d'une propagande orale, écrite, imprimée, dessinée, peinte ou sculptée. Prince à la Salamandre, comme l'était déjà son père, François joue du thème de ce batracien, symbole de constance et d'intégrité, adversaire des harpies, capable de nourrir le bon feu et d'éteindre le mauvais, d'entretenir les Justes et de détruire les Méchants. Le monarque est « tout françois », roi des Français, porteur d'une espérance de gloire militaire et culturelle. Né métaphoriquement de la Vierge, il est charnellement le fils de Dame Prudence, autrement dit de Louise de Savoie, encore elle, éducatrice sans pareille, compas du ci-devant dauphin, pour la formation duquel on avait traduit la *Cyropédie*, roman de formation d'un jeune homme, ou récit moral (dû à Xénophon), relatif à l'instruction reçue par Cyrus, et qui traite également de la pédagogie, de l'organisation monarchique, des rôles propres au souverain comme à l'officier. Roi juste, François est bien sûr un chef, un *Dux*, un parangon des vertus militaires. Élu de Dieu, il a reçu du Très-Haut les dons de Nature (il est « Beau Prince ») et les dons de grâce, ceux-ci faisant de lui un accompli gentilhomme. Noble champion au jardin des Hespérides, François figure de la sorte un second Hercule, qui se veut aussi successeur de Clovis, et qui unit le Lys armé à la Salamandre cuirassée. Empereur en son royaume, le chevalier François vaudra le pieux César. Second Constantin, il prolonge, sans plus, les rêveries de croisade, qui sont censées devoir le conduire au « grand voyage à Jérusalem ». La bataille de Marignan, nul n'y voit un hasard, coïncide du reste avec le jour de fête de l'exaltation de la Croix. Semblable en cela au garçon bien-aimé que célèbre bibliquement le Cantique des Cantiques, François dans ses entrées citadines comme dans sa vie quotidienne d'homme marié, reçoit la double offrande du pucelage* symbolique des villes, et de l'amour que lui porte la reine Claude. Son « maître d'école » François Demoulins le place sous les célestes auspices du triangle néoplatonicien : beau, bon, juste. Le héros des Français dignes de ce nom est d'autant mieux immunisé contre les périls, grâce à la double dévotion qu'il voue au séraphisme de saint François d'Assise, et à l'archange saint Michel, patron d'un ordre illustre de chevalerie[1].

Homme de la Renaissance, entouré d'une forêt de symboles, François, à l'instar de ses prédécesseurs, est passionné d'Italie, serait-elle ensanglantée.

* La ville, sous la Renaissance, est souvent symbolisée par une femme et plus précisément par une jeune fille, une « pucelle ».

Comme jadis les cités grecques devant Philippe de Macédoine, ou comme aujourd'hui l'Europe divisée, face à telle super-puissance, les villes ou États italiens (Venise, Milan, Florence, Rome, Naples, Gênes, Ferrare et Turin) ne font pas le poids confrontés au grand État des Valois ; François veut le Milanais, comme le désirait son beau-père Louis XII, et il fait valoir sur ce duché les incorrigibles droits dynastiques de l'aïeule Valentine Visconti*. L'Italie de toute manière est une proie tentante. Mais les Français, jadis vaincus à Novare (juin 1513) avaient dû évacuer les plaines lombardes. L'avènement du jeune roi est gros d'une volonté de revanche. En 1515, une armée de 40 000 hommes, dirigée par François, passe les Alpes. En juillet, elle campe à Marignan. L'artillerie française, puissante, mobile, moderne, fait la différence, sous les ordres du grand écuyer Galiot de Genouillac. Les Suisses, alliés du duc de Milan, Maximilien Sforza, sont battus, sinon écrasés. Victorieux, François peut donc entrer en triomphe à Milan ; il conclut bientôt, à Fribourg en 1516, une paix « perpétuelle » *(sic)* avec ses ci-devant ennemis helvétiques : il ne croit pas si bien dire ; cette paix sera respectée ; elle dégage le royaume sur sa frontière du Centre-Est ; elle donne à l'armée française l'accès pluriséculaire au mercenariat des « chairs à canon » alémaniques. Quant à Maximilien Sforza, prince de Milan, il n'a plus qu'à faire retraite, en France même, pensionné par son ex-ennemi.

Vainement contestée en 1516 par l'empereur Maximilien, la nouvelle domination française à Milan n'est pas de longue durée. En novembre 1521, Lautrec, frère d'une bonne amie de François, mais peu doué pour la stratégie, est expulsé de la grande ville par les troupes de l'Empire que soutiennent les citadins locaux. En avril 1522, à La Bicocca (non loin de Milan), les « redoutables fantassins helvétiques » commandés pour le compte de la France par Lautrec, encore lui, et qui étaient venus renforcer l'armée royale en vertu de la nouvelle alliance de Fribourg, sont battus par le capitaine italien Prospero Colonna. Une fois de plus, les Français sont ramenés à la case départ, comme au temps où Charles VIII, puis Louis XII perdaient et reperdaient l'Italie tout juste conquise. Qui plus est, la situation se durcit en France dans les années 1520 : crises de subsistance ; pénétration des idées luthériennes ; premières trahisons du connétable de Bourbon, lequel est membre (lointain) de la famille royale, et l'un des plus puissants seigneurs du royaume. En avril 1524, Bayard, petit noble de province, qui fit carrière en guerroyant au service du monarque, est tué pendant la difficile retraite des armées françaises hors d'Italie, refoulées lentement vers la métropole. La Provence est même momentanément envahie. François pourtant ne perd pas courage : nouvel Hannibal, il emmène derechef des troupes nombreuses dans la péninsule, au terme d'un « remake » du passage des Alpes. Elles sont écrasées à Pavie (24 février 1525) par suite des cavalières folies du monarque, bien différentes des sages préparations d'artillerie de Marignan. Au cours de cette bataille hivernale, qui s'accompagne du plus grand carnage de noblesse française depuis Azincourt**, François est fait prisonnier. Après une captivité de plus d'une année, à Madrid notamment, Charles Quint le libère en mars 1526 au prix d'un accord humiliant. Le souverain français est décidé, du reste, à n'en pas respecter les clauses. Et c'est une fois de plus (après l'heureuse rentrée en France) la répétition offensive. En août 1527, une armée française, toujours commandée par l'incompétent Lautrec, séjourne en Italie du Nord. Puis, descendue au long de la botte jusqu'à mettre le siège devant Naples, elle finit misérablement, ainsi que son chef, victimes l'une et l'autre d'une épidémie, à l'été de 1528. Aux termes de la paix des

* La généalogie indique que Valentine Visconti, fille du duc Jean-Galéas Visconti, qui régnait sur Milan, fut à la fois grand-mère de Louis XII et arrière-grand-mère de François Iᵉʳ, par deux ramifications différentes. C'est d'elle que ces deux monarques ont prétendu tirer leurs droits sur le Milanais, pour lesquels ils guerroyèrent l'un et l'autre.

** A Azincourt (25 octobre 1415), dans l'actuel département du Pas-de-Calais, les troupes de Charles VI furent battues et décimées par le corps expéditionnaire anglais d'Henri V. Beaucoup de princes et de nobles français restèrent sur le carreau.

Dames (août 1529), conclue par l'entremise de Louise de Savoie et de sa belle-sœur Marguerite, tante de l'empereur*, la France « renonce » encore un coup aux ambitions péninsulaires, décidément malheureuses.

Elles demeurent ! En 1533, Catherine de Médicis, princesse florentine, âgée de quinze ans, épouse Henri, douze ans, fils cadet de François ; nul ne prévoit que la mort d'un frère aîné fera de cet enfant, trois lustres plus tard, le successeur de son père sous le nom d'Henri II. Ces noces d'un fils de France avec la nièce de Jules de Médicis (pape en 1523, sous le nom de Clément VII) fournissent prétexte à un rapprochement entre la cour de Fontainebleau et le Vatican. Dans ses conversations avec le souverain pontife, François envisage, espoir suprême, de reprendre le Milanais. Encore ! Façon de reconnaître que, sans soutien papal, il n'est pas de possible impérialisme français en Italie.

Les actes suivent, et le roi procède à d'importants préparatifs militaires ; ils incluent même la formation éphémère de légions provinciales, à recrutement paysan, sur modèle romain. En novembre 1535, la mort de Francesco Sforza, duc effectif de Milan depuis 1525, pose derechef le problème de la succession milanaise : au mois de janvier 1536, les Français conquièrent la Savoie, avant-poste des régions padanes. Quelques mois plus tard, en représailles, Charles Quint procède à une brève invasion de la Provence, au grand déplaisir des indigènes du Sud-Est. L'équilibre des forces étant atteint, une réconciliation spectaculaire et plutôt feinte va s'ensuivre en 1539-1540, entre François et Charles. Celui-ci, sous prétexte de prendre un raccourci pour visiter au plus vite ses vastes États, troublés par la révolte gantoise, va jusqu'à traverser la France en grande pompe, du Sud au Nord ; il connaît la bonne fortune d'être escorté tout au long par les amabilités et quelquefois par la personne même du roi. Cette tardive lune de miel entre deux beaux-frères (puisque François, en secondes noces, a épousé Éléonore, sœur de Charles) coïncide avec la faveur d'Anne de Montmorency, guerrier courageux certes, promu connétable depuis 1538, mais partisan, si possible, des voies de douceur et de la coexistence pacifique avec l'Empire.

Malgré ces bonnes dispositions apparentes, le voyage impérial en France, si spectaculaire qu'il paraisse, n'est justement qu'un trompe-l'œil. En avril 1540, François refuse les avances de Charles qui lui proposait d'abandonner le rêve milanais, moyennant l'obtention, par la France, de divers gages aux Pays-Bas. En fait, le roi reste attiré prioritairement par le foyer capitaliste en relatif déclin (Milan et l'Italie du Nord) ; il néglige les pôles d'économie expansive situés en Flandre, et significatifs de l'essor d'une Europe septentrionale ; humaniste, François se veut logiquement « italo-centré ». La chute de Montmorency, à partir de 1541, favorise à la cour des Valois l'essor d'un parti belliciste qu'incarnent la duchesse d'Étampes et quelques prélats, parmi lesquels le cardinal de Tournon. Les intrigues matrimoniales du monarque en Allemagne tournent, elles aussi, contre l'empereur : ainsi est manigancé en 1541 le mariage forcé de Jeanne d'Albret, nièce de François, avec le duc Guillaume de Clèves, ennemi de Charles Quint. Une « scandaleuse » alliance de revers s'élabore d'autre part entre Français et Turcs, ceux-ci ennemis héréditaires des Impériaux et de la Chrétienté. De nouvelles ruptures se préparent.

L'ultime guerre italienne du règne commence donc en 1542 à la suite du meurtre de deux diplomates français par les agents impériaux en Italie, intervenu en juillet 1541 (on serait moins susceptible en notre temps). Ce

A droite. Louise de Savoie, mère de François Ier, ailée comme un ange, trempe, dans un bassin qui figure sans doute une mer agitée, le gouvernail qui symbolise la régence ; elle exerça celle-ci à deux reprises et notamment après la défaite de Pavie, pendant la captivité de son fils. Le décor de cette enluminure, exécutée peu après 1525, n'a déjà plus rien de gothique. L'auteur du livre dont est tirée cette œuvre d'art, livre intitulé Gestes de la reine Blanche de Castille (celle-ci fut régente sous saint Louis comme plus tard Louise au temps de François) n'est autre qu'Étienne Leblanc, qu'on voit ici platement en position quasi horizontale aux pieds de la mère du Valois. Humaniste, notaire et secrétaire du roi, Leblanc est un homme "complet" : il sera plus tard contrôleur de l'Épargne, et finalement anobli sous Henri II.
Louise de Savoie (1476-1531), fille d'un prince savoyard et d'une Bourbon, fut mère de Marguerite d'Angoulême et du futur François Ier. Dès l'avènement de celui-ci, elle a joui d'un pouvoir considérable. A sa mort, elle laissa un héritage plus substantiel encore que ne l'imaginaient de son vivant les personnes qui méditaient sur son avarice bien connue.

Louise de Savoie et Étienne Leblanc, miniature extraite des Gestes de la reine Blanche de Castille, Paris, Bibliothèque nationale.

* Marguerite d'Autriche (1480-1530) est la fille de l'empereur Maximilien Ier et de Marie de Bourgogne ; elle est donc la tante de l'empereur Charles Quint, lui-même petit-fils de Maximilien. En épousant Philibert le Beau duc de Savoie, elle a noué d'autre part une alliance très proche avec Louise de Savoie, mère de François Ier. Marguerite qui, à l'époque envisagée, est gouvernante des Pays-Bas pour le compte de son père Maximilien, constitue donc un « pont » effectivement disponible pour la négociation et la solution pacifique, entre les Habsbourg et les Valois.

conflit implique la « choquante union » franco-turque (annonciatrice d'une politique occasionnellement pro-musulmane des Français, au cours des quatre siècles qui suivront). Les galères ottomanes participent au siège de Nice (1543). D'autres opérations, sans lendemain, provoquent une brève équipée des Impériaux non loin de Paris, et des Anglais jusqu'à Boulogne, ville que les Tudor vont conserver pendant quelque temps. Cette confrontation prend fin en 1544 (du côté de Charles Quint) et en 1546 (sur le versant britannique). Elle laisse pourtant aux Français une tête de pont solide en Italie : le Piémont demeure occupé sans interruption par leurs troupes ; il est pratiquement annexé de 1536 à 1559, servant de banc d'essai à la nouvelle institution des commissaires et intendants régionaux, promue au plus bel avenir.

L'obstination « italienne » de François Ier nous paraît anachronique. Est-ce parce que le territoire français, à partir du début du XVIIe siècle, se développera en réalité dans des directions bien différentes et d'abord vers l'Est et le Nord... Replacé dans le contexte du temps et dans l'univers spirituel du monarque, le tropisme italien cadre pourtant avec l'ambition politique et surtout culturelle d'un homme que ses goûts, et pas seulement ses armées conduisent de toute manière au-delà des Alpes. Être humaniste, vers 1530, c'est se vouloir milanais, florentin, vénitien, romain. Le fait que cette volonté, de surcroît, soit militaire peut sembler choquant au XXe siècle ; mais à l'époque, peu de gens s'en formalisaient. Bêlant ou non, le pacifisme n'était pas de mise. La guerre, il est vrai, était (malgré de séculaires et terribles exceptions) moins dévastatrice qu'aujourd'hui, en règle générale. Question de moyens, de technologie militaire encore « primitive » au gré de nos critères contemporains, et peu efficace...

Au surplus, tant qu'à troquer l'Est pour le Sud, une Italie partiellement dominée par les Français, telle que la rêvaient Charles VIII, Louis XII et François Ier, aurait peut-être moins souffert, dans la suite des temps, de l'oppression cléricale et bigote que ce ne fut le cas, en fait, pour l'Italie réelle, celle de l'ultime XVIe et du XVIIe siècle, largement dominée par l'Espagne réactionnaire, voire inquisitoriale. Dans cette perspective, doit-on penser que Pavie, en 1525, fut une défaite non seulement pour la France, ce qui va de soi, mais aussi pour les progrès éventuels et ultérieurs de la liberté péninsulaire ? Il est vrai que la dynastie madrilène, en assurant à l'arrière-pays milanais, arsenal de l'artillerie ibérique, les financements inépuisables des trésors monétaires venus d'Amérique, fera beaucoup pour l'essor industriel, métallurgique, commercial, voire agricole de l'Italie du Nord. Ceci doit-il consoler de cela ?

Plus facilement qu'en guerre, l'italianisme triomphe dans les arts. En ce domaine, l'influence de François Ier, une fois de plus, paraît forte. A Chambord, les plans originaux du château sont venus vraisemblablement de Domenico de Cortone, formé dans l'ambiance médicéenne. A Blois, les maçons français qui construisirent la façade des loggias s'inspiraient sans doute de l'œuvre de Bramante, au palais du Vatican.

A partir de 1528, François, sans renoncer pour autant au val de Loire ni à l'itinérance de la Cour, transporte une forte part de son activité dirigeante ou résidentielle autour de Paris ; c'est le signe d'un progrès centralisateur, c'est l'indice également du favoritisme dont jouit Anne de Montmorency, fortement possessionné aux environs de la capitale. Surgissent donc, de ce fait, les nouvelles constructions monarchiques : au Bois de Boulogne, le château dit de Madrid, conçu à partir de 1527 avec la collaboration du céramiste Girolamo Della Robbia déploie « un décor de faïence aux multiples couleurs, disposé en médaillons, frises, plaques... ». A Fontainebleau, devenu au second tiers du siècle l'un des grands centres de la culture européenne (la « nouvelle Rome » comme disent les flatteurs), Rosso et le Primatice imposent le style maniériste : la collection de tableaux, patiemment rassemblée par le maître du palais, inclut les œuvres de Léonard, Pontormo, Michel-Ange, Bronzino, Titien. Des agents royaux, diplomates ou artistes, comme Guillaume du Bellay, l'Arétin et Primaticcio lui-même acquièrent tel chef-d'œuvre, importé d'au-delà des Alpes. Installé par le roi face au Louvre, en rive gauche de la Seine, l'arrogant Cellini, sculpteur, orfèvre et médailliste, produit en terre française une série d'ouvrages dont sont conservées, de nos jours, une salière d'or et la nymphe de Fontainebleau. En termes de librairie, l'action de François s'impose : à grands frais, les ambassadeurs français en poste à Rome et Venise, font copier des manuscrits grecs pour le compte du roi Valois. La bibliothèque de Fontainebleau, énormément enrichie par divers acquêts, s'accroît en outre des collections préalablement rassemblées à Blois, et des livres confisqués au connétable de Bourbon. Robert Estienne, imprimeur officiel, développe, à partir de 1539, l'édition grecque, latine, hébraïque. Montaigne, dont les œuvres regorgeront de citations en langues anciennes serait peu concevable sans le préalable mécénat « éditorial » du monarque. Dès les années 1530-1540, le « Collège royal », aujourd'hui Collège de France, organisé par le roi indépendamment de la Sorbonne et volontiers contre elle, offre aux auditeurs lettrés une constellation d'enseignements et de chaires : elles distribuent de façon fluctuante, mais innovatrice, la pédagogie du grec, de l'hébreu, du latin, de la médecine, des mathématiques et de la cosmographie. Elles impliquent une volonté étatique de désengagement de l'enseignement comme de la recherche vis-à-vis d'une Université encore dominée par l'Église. C'est un début de laïcisation. Un de plus.

Dans le domaine religieux, l'humanisme de François et des siens implique encore une fois l'italophilie, dont les tonalités pour le coup, sont quelque peu papistes. Elles n'ont rien qui puisse scandaliser les catholiques, à l'heure des pontifes de l'humanisme, eux aussi, comme Léon X et Clément VII...

En 1438, au temps de Charles VII, la Pragmatique Sanction de Bourges, fort gallicane, confiait au clergé diocésain, et notamment aux chapitres de chanoines, le droit d'élire les évêques (le roi, bien sûr, n'allait pas pour autant renoncer à toute pression sur les organismes capitulaires, destinée à avaliser ses propres candidats à l'épiscopat). Cette Pragmatique, antiromaine par essence, avait mis de strictes restrictions au flot des annates et des appels (versements monétaires et recours judiciaires) qui en d'autres siècles avaient coulé plus librement depuis l'Église de France jusqu'à la Ville Éternelle. Du reste, on accusait les uns et les autres, avec quelque exagération, de tarir les ressources nationales en or et en argent. L'acte sacrilège de Charles VII irritait donc au plus haut point la Curie. Par la suite, sous Louis XI, la Pragmatique devenait entre la France et le Vatican l'objet d'un jeu de football : on la rendait ou on la reprenait, on l'annulait ou on la remettait en vigueur, selon que les rapports entre le Vatican et Plessis-lès-Tours se situaient au beau fixe ou au plus sombre. Victorieux à Marignan, François désire élargir l'influence française en Italie ; il veut ménager dans ce but les Romains, tout en faisant valoir sa propre prérogative gallicane (effective, mais modérée) vis-à-vis des ultra-gallicans que sont les parlementaires parisiens : il décide, une fois pour toutes, de « tourner la page » de la Pragmatique. Par le concordat de Bologne (1516), conclu entre la France et Rome, sur la lancée de l'éclatante victoire de Marignan, le droit d'élire les évêques est définitivement retiré aux chapitres de chanoines : c'est la fin d'une certaine « démocratie » ou pour le moins oligarchie ecclésiastique, serait-elle en trompe-l'œil. Le roi désormais nommera les évêques ; le pape les instituera ; les bénéficiers canonicaux, infra-épiscopaux, seront les principales victimes de cette initiative. Le centralisme royal connaît ainsi des avancées considérables ; il disposait officieusement, il dispose maintenant sur le mode officiel de la nomination de plus d'une centaine d'évêques, qui pour une part décisive lui devront leurs postes et leurs gros revenus. Le Vatican lui aussi, en 1516, voit son influence augmenter : il bénéficie maintenant d'un droit de regard sur les créations épiscopales, au mépris du conciliarisme antipapal, dont s'était targuée l'Église gallicane à la fin du Moyen Age. Les deux puissances, italo-romaine et française, marchent donc de concert, celle-ci tirant profit (par ricochet) des concessions intéressées qu'elle accorde à celle-là. Le *continuum* italo-français est très fort ; on imagine mal, dans ces conditions, que François puisse imiter l'exemple d'Henri VIII, et déchirer la « robe sans couture » de l'Église romaine. A quoi bon en effet se brouiller avec un pontificat auquel la royauté doit beaucoup, et qu'elle se borne à larder plus ou moins gentiment de piques françaises et nationalistes ? Le gallicanisme royal (à distinguer du gallicanisme parlementaire*) sort vainqueur, au même titre que l'institution vaticane, du concordat bolonais de 1516. Mais d'autres tendances demeurent insatisfaites : l'ultra-gallicanisme du Parlement ou de la Sorbonne et le conciliarisme français voudraient bien humilier Rome devant un concile général ou national, et pas seulement ragaillardir le monarque Valois ; or, ultra-gallicanisme et conciliarisme sortent blessés de l'épisode bolonais ; l'accord cisalpin-transalpin a été conclu par-dessus la tête du Parlement comme de la Sorbonne, et à leurs dépens. François et son fidèle porte-bouclier, le chancelier Duprat, ont donc besoin de toutes leurs forces d'intimidation pour obliger la Sorbonne récalcitrante et le Parlement toujours partisan de la Pragmatique, à donner d'indispensables approbations au concordat de 1516, qui enterre celle-ci. Les deux organismes parisiens finiront (plus ou moins) par avaler la pilule, non sans entourer d'un protocole secret ou protestataire leur défiante acceptation. Pour vaincre cette résistance de dernière minute, François qualifie les parlementaires de « bandes de fous » et menace des oubliettes certains d'entre eux.

Une chose est de conclure des accords (non sans succès) avec Rome. Mais se colleter avec l'hérésie naissante, bientôt militante, c'est une autre affaire. Sur ce point, la position de François et de ses amis est nette ; elle se déduit aisément de prémisses qu'on a déjà rencontrées : aussi longtemps que l'innovation, dans le domaine du sacré, se cantonne aux seules voies de l'humanisme,

Ci-contre, en vignette. Guillaume du Bellay (1491-1543), d'une ancienne famille noble de l'Ouest français, fut fait prisonnier à Pavie en même temps que François Ier, qui le chargea par la suite de diverses missions diplomatiques. Esprit tolérant, il était ouvert à l'évangélisme, et tenta de protéger les vaudois, non sans exercer sur le roi, de ce point de vue, une favorable influence. Il dépeignait ces « hérétiques » dans un rapport, comme gros travailleurs, craignant Dieu et sujets loyaux (d'après R.F. Knecht). Il soutint l'humanisme et la politique culturelle du souverain, comme fit également son frère le cardinal Jean du Bellay (1492-1560), prélat favorable à des réformes modérées en matière religieuse, et adversaire déterminé des Habsbourg. D'autres frères de ces deux personnages se distinguèrent dans l'armée ou dans l'épiscopat, cependant qu'un neveu, l'écrivain et poète Joachim du Bellay, achevait d'identifier le nom de cette intéressante famille à ce qu'il y avait de meilleur dans la Renaissance intellectuelle française, avant les guerres de Religion.

École française, Guillaume du Bellay, *château de Versailles*.

* Dans ce passage, nous évoquons diverses notions qui méritent d'être brièvement expliquées. Le gallicanisme *royal* vise à mettre l'Église de France et spécialement les nominations des évêques sous la coupe du monarque, tout en concédant malgré tout une dose minime de suprématie (ou pour le moins d'influence) au Vatican. Le gallicanisme de l'Église de France, ou de ses éléments les plus déterminés, ainsi que de l'Université de Paris (la Sorbonne), aimerait, tâche difficile, court-circuiter le roi, et renvoyer directement l'élection des évêques « à la base », soit au clergé des diocèses, et notamment aux chanoines ; l'influence de Rome étant là aussi diminuée radicalement. Il est donc logique que la Sorbonne s'élève contre le concordat de 1516, qu'elle trouve trop modéré : elle se raccroche à la Pragmatique Sanction de 1438, qui correspond pleinement à ses vœux. L'ultra-gallicanisme du Parlement de Paris, de toute façon très antiromain, va lui aussi dans le sens extrémiste du gallicanisme ecclésial et universitaire (ou « sorbonnard ») ; bien au-delà donc du gallicanisme somme toute modéré de François Ier. Quant au conciliarisme, très en vogue depuis le XVe siècle, il vise à subordonner le pape au concile, autrement dit aux évêques, notamment de France...

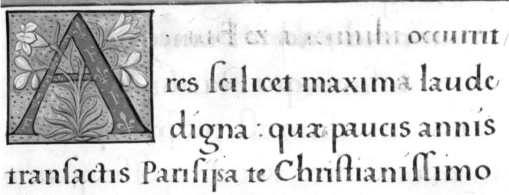

A res scilicet maxima laude
digna : quæ paucis annis
transactis Parisi ipsa te Christianissimo
rege Francisco celebrata est / nam cum
in vrbem hanc Lutherani quidam

CHAPITRE 5

L'INTOLÉRANCE ET LE RESTE

A l'extrême gauche. Une statue de la Vierge ayant été récemment mutilée par des Parisiens de tendance luthérienne, François Iᵉʳ prend part, en personne, au mois de juin 1528, à une procession expiatoire au jour de la Fête-Dieu ; à la suite de quoi, d'ordre royal, il est décidé que l'objet endommagé sera remplacé par une statue en argent massif. Cette démonstration ostentatoire de piété mariale ne doit pourtant pas faire oublier qu'à la même époque encore, le roi de France protège l'évangélisme (quelque peu hétérodoxe) des prédicateurs ou des lettrés ; il couvre l'indépendance des juges contre l'extrémisme inquisitorial du Vatican. Seront nécessaires l'affaire des placards et ses suites (1534-1535) pour que le monarque se résolve définitivement à l'adoption d'une attitude plus intolérante.

Miniature extraite de Panégyrique de François Iᵉʳ, Chantilly, musée Condé.

Avec l'affaire des placards (1534), un premier moment d'irréversibilité se trouve atteint. Le roi très chrétien ne peut laisser passer la bourrasque. Il ne fait pas personnellement du zèle. Mais, il laisse se déchaîner à Paris l'hystérie populaire ainsi que la répression et les bûchers, ceux-ci décidés par le Parlement, approuvés par la Sorbonne, meublés par les hérétiques. Le « biennat » 1534-1535 forme donc coupure chronologique : à partir de cette date, la Réforme protestante se trouve violemment divorcée d'avec l'humanisme royal, l'une allant désormais beaucoup trop loin au gré de l'autre. La figure d'un Paris fanatisé, ultra-catholique, qui dominera toute la seconde moitié du XVIᵉ siècle, déjà se dessine dangereusement.

L'émersion française, puis genevoise, accessoirement strasbourgeoise de Calvin et du calvinisme dans les années 1530-1540 ne peut qu'aggraver la tension. Les théories eucharistiques de Calvin sont dans l'ensemble moins révolutionnaires, certes, que celles de Zwingli ; mais l'ecclésiologie calvinienne se rapproche de celle du maître zurichois et se situe à l'opposé du semi-conservatisme luthérien. Elle est destructrice des hiérarchies catholiques, pourtant consubstantielles, là est le hic, à la France des Valois.

L'Église calviniste, à caractère local, comprend en effet des pasteurs-gouverneurs, des docteurs-professeurs, des anciens, des diacres ; ces diverses catégories se soumettent, dans le principe, au césaropapisme municipal d'un gouvernement citadin, qui prend place à Genève, en attendant que d'autres localités se convertissent aux mêmes solutions. Le gouvernement genevois à son tour est contrôlé dans la coulisse par Calvin et par ses amis. On ne saurait mieux bafouer la savante architecture sociale de l'Église gallicane, avec son dégradé multiple qui mène du cardinal au clergeon en passant par l'archevêque et le chanoine. En cette conjoncture, toute réconciliation en profondeur paraît vouée à l'échec. Le calvinisme pur et dur implique, au fait, une telle mutation des mentalités qu'il ne parviendra à s'imposer totalement que dans le cadre de petits États ou menus systèmes politiques (Genève puis les communautés puritaines d'Amérique du Nord)... Les grandes puissances (France et même Angleterre) lui résistent, du simple fait de leur masse, impossible à faire basculer dans des délais trop rapides.

En cette conjoncture, Calvin n'a donc pas la partie facile : il a beau dédier à François Iᵉʳ l'ouverture de son Institution chrétienne. Il a beau (mais qui s'en serait douté à l'époque... !) être le père ou plutôt l'aïeul d'une humanité de style nouveau, dans laquelle des hommes infus de grâce divine ou de bonne prédestination et désireux de prouver celle-ci par la rigueur de leur activité sociale, bâtiront les plus modernes des sociétés capitalistes, jusques et y compris en Amérique du Nord... Rien de tout cela (et pour cause) ne peut fléchir tout à fait François Ier (encore que celui-ci, soucieux de ménager le protestantisme princier d'Allemagne, éprouve des bouffées d'indulgence à l'égard de ceux de ses sujets qu'on appellera bientôt les huguenots). Rien de tout cela surtout ne peut faire que les Parlements de Paris, de Toulouse, d'Aix-en-Provence tolèrent le calvinisme. Des édits royaux, hostiles à l'hérésie, vont donc se succéder en 1540 et 1542 à l'usage desdits Parlements, et des autorités ecclésiastiques... Les vaudois des montagnes provençales, qui ont rallié voici peu le camp protestant, sont partiellement massacrés en 1545, à partir d'initiatives meurtrières qui, c'est vrai, sont d'ordre régional plus que national. Henri II, moins flexible encore que son père, reprendra et aggravera cet héritage de persécutions, sans toutefois se faire à cent pour cent l'outil docile du pontificat romain.

L'humanisme de François, triomphant dans les domaines culturels, timide et contrarié au plan religieux, se déploie sans entraves dans le secteur de la politique-spectacle, où princes, sujets, empereur font assaut de dons ou contre-dons, comme de générosité ostentatoire.

A Lyon, en juillet 1515, le monarque en route pour l'Italie (et pour Marignan...) est accueilli par le clergé, les officiers royaux, le sénéchal, les gens de justice, la municipalité, les bourgeois et notables, les marchands locaux d'Allemagne, de Lucques, de Florence ; les uns et les autres affrontent joyeusement le « train du roi », qui consiste en princes et seigneurs, hérauts d'armes, trompettes et clairons. Les histoires, saynètes et symboles exposés çà et là racontent tel épisode de la Bible, de la vie de Clovis ou de la biographie d'Hercule au jardin des Hespérides : ces thèmes inspirés par la Renaissance voisinent en toute sympathie avec ceux qui furent hérités de la fin du gothique. Une débauche de luxe et de présents s'offre de part et d'autre, côté ville, et côté Cour royale. La « joyeuse entrée », spectacle souverain que la ville se donne à elle-même en même temps qu'au roi, n'est contemplée par le citadin moyen qu'une ou deux fois dans le délai d'une vie humaine à l'occasion de la venue du Prince ; l'inoubliable parade déploie, spectaculaires, les groupes sociaux. De quoi ressouder pour une génération l'impalpable réseau des fidélités urbaines et des loyautés monarchiques.

Le même assortiment se retrouve dans le camp du Drap d'or, en juin 1520, aux frontières du Calaisis. Là, François Ier, Henri VIII et l'aristocratie des deux pays font assaut d'opulence, par-delà les intentions affichées du roi français qui sont d'obtenir ou de consolider (tâche difficile) les bonnes grâces du souverain d'Angleterre : après tout, la cruelle mémoire de la guerre de Cent Ans, et même des incursions britanniques qui suivirent celle-ci, est loin d'être éteinte. Qui plus est, l'accession toute récente de Charles Quint à la tête d'un Empire qui devient dorénavant austro-germano-espagnol transforme l'équilibre européen en un jeu tripolaire France, Empire, Angleterre, celle-ci devenant la puissance médiane, courtisée à grands frais par les deux autres. La tradition des « sommets » entre princes, déjà fort ancienne, s'embellit, dans cette rencontre franco-britannique du Drap d'or, grâce aux ori-

Page précédente gauche, en vignette. Henri d'Albret, roi de Navarre, qui épousera en 1527 Marguerite d'Angoulême, sœur de François Ier, était davantage préoccupé de la perte de son héritage au Sud des Pyrénées, subtilisé pour une bonne part en 1512 par l'Espagne, que de questions évangéliques. En 1543, François Ier lui confiera une mission quelque peu extraordinaire de lieutenant général en Guyenne, Poitou, Languedoc et Provence. Ses noces avec la sœur du roi firent composer cette miniature ; elle insiste sur le thème déjà « protestant » de la Passion du Christ comme modèle pour tous les chrétiens portant eux aussi leur croix ; l'intercession (de type plus traditionaliste) exercée par la Vierge et par les saints n'est point mentionnée dans cette image.

Marguerite, écrivain de valeur, s'était entourée d'un groupe d'amis et de confidents que dominaient des réformateurs religieux comme Guillaume Farel et Gérard Roussel ; par la suite, sa petite cour de Nérac constituera un foyer d'hétérodoxie. Jeanne d'Albret, fille de Marguerite sera, elle, carrément protestante. Elle inaugurera dans la famille royale, à travers son fils, Henri de Navarre, futur Henri IV, une tradition de sensibilité huguenote et bourbonienne qui, même après la conversion dudit fils au catholicisme, conservera quelque importance dans les milieux du Pouvoir. La disponibilité à une semi-tolérance pour l'« hérésie » ne s'éteindra tout à fait qu'avec le commencement du règne personnel de Louis XIV, en 1661 ; quitte à refleurir par la suite, non sans discrétion, après la mort du Roi-Soleil, et surtout pendant la seconde moitié du XVIIIe siècle.

*Miniature extraite de l'*Initiatoire instruction en la religion chrestienne*, Paris, bibliothèque de l'Arsenal.*

peaux remis à neuf de la culture néo-latine. A Ardres, non loin de ce qui sera le lieu des rendez-vous effectifs, François fait élever, pour une rencontre éventuelle, un théâtre rond tout en bois, à la romaine, imité paraît-il des conceptions de l'architecte Vitruve. Quant à la vaste demeure d'Henri, dans la ville d'or du camp de Guînes, elle est de bois également, ornée de piliers « à l'antique » : ils figurent Cupidon et Bacchus, jetant du vin clairet dans des tasses d'argent. Même coûteuse, l'ouverture à une Angleterre qui deviendra bientôt hétérodoxe, fait partie de l'ensemble humaniste en quoi s'incarne la stratégie de François.

Avant même le Drap d'or, les débours monétaires du roi, aux dépens d'un royaume devenu fort riche, confinaient à l'apparente extravagance, lors de l'élection impériale de 1519. Dans ce cas aussi, la référence humaniste et les allusions à l'Antiquité romaine venaient s'ajouter aux motivations plus purement politiques pour inciter le monarque de France à postuler l'Empire. N'était-il pas le « César » chéri que sa mère Louise qualifiait de ce nom, et aussi « l'empereur en son royaume », cher aux théoriciens du pouvoir monarchique ? Alors pourquoi ne pas devenir empereur à part entière, dans le cadre point trop vermoulu encore de l'Empire romain germanique ? Être candidat français à ce pouvoir suprême, et gagner par la suite un pari si risqué, c'était acquérir « une exceptionnelle dignité supranationale » ; soit la contrepartie séculière du pontificat romain, et le plus éclatant pouvoir (laïque) de la Chrétienté ; c'était aussi et surtout éviter que l'Espagne et l'Allemagne ne fussent définitivement rassemblées sous la direction d'un seul Habsbourg, qu'on appellera bientôt Charles Quint. Là gisaient les rationalités d'une candidature ; au premier abord elle paraissait bien étrange, de la part d'un souverain des lys. François sous-estimait, en la matière, les mentalités anti-françaises de nombre des grands électeurs de l'Empire, qu'ils soient de Saxe ou de Brandebourg. On n'est pas impunément candidat francophone, en pays de germanophonie, même si l'« Allemagne » n'est encore qu'expression géographique. Afin de corrompre les sept électeurs, François dépense vainement des sommes immenses en écus sonnants et trébuchants (car les Fugger, patriotes d'outre-Rhin, refusent ses lettres de change et préfèrent financer la candidature de Charles). Les 400 000 couronnes ainsi gaspillées par la France n'empêchent pas l'adversaire du Valois d'être élu, toute candidature française étant retirée *in fine*. Le nouvel empereur, né des Habsbourg, obtient l'unanimité des votes, le 28 juin 1519.

L'échec à l'Empire a-t-il valeur exemplaire ? Imprimerie, Réforme, humanisme, la France « renaissante » demeure longtemps à la traîne, et brillant second, même quand il ne s'agit que de faire du neuf avec du vieux, et de récupérer d'anciennes traditions, gréco-latines ou bibliques. Pourtant, au bout de quelques années ou décennies perdues, ce pays saisit (plus ou moins bien) sa chance. Ainsi en va-t-il des grandes découvertes : Portugais, Génois, Espagnols (nantis ensuite de l'accord papal qui confère aux deux nations ibériques la propriété des terres et mers encore inconnues dans l'Ouest lointain) ont une ou deux générations d'avance, quant à la découverte des routes à épices et du nouveau continent. Mais déjà, dans les années 1500, les pêcheurs bretons et les marchands de Normandie parviennent respectivement à Terre-Neuve la morutière, et au Brésil. Le mouvement est en route. On va le prouver en marchant. Louis XI, Charles VIII et Louis XII s'étaient intéressés de façon prioritaire aux trafics méditerranéens. François Ier n'oublie ni le Sud-Est milanais, ni l'Est impérial. Néanmoins il ouvre un œil sur l'Ouest atlantique : en 1517, cet homme d'universelle curiosité fonde Le Havre. En 1524, le Florentin Verazzano, dûment mandaté par le souverain français, « financé par la banque lyonnaise et rouennaise, assisté par des marins normands », longe la rive atlantique de l'Amérique du Nord, sur les côtes actuelles de Virginie, Caroline, Maryland, New York, Massachusetts, Maine et jusqu'à Terre-Neuve : la cartographie des nouveaux mondes fait un pas de géant du seul fait de cet explorateur. Dix ans plus tard, un Malouin, Jacques Cartier, « commissionné » lui aussi par le roi, entreprend un premier voyage, par la route des pêcheurs, bien connue de lui, jusqu'à Terre-Neuve et jusqu'à l'embouchure (non encore explorée) du Saint-Laurent. D'autres expéditions, dirigées par Cartier, puis par Roberval, aboutissent à l'établissement, qui n'est pas durable, d'une colonie française sur le Saint-Laurent. L'affaire tourne court. Mais la fondation de Québec s'ensuivra au temps de Champlain (1608). La France (talonnée bientôt par l'Angleterre) demeure le premier pays non ibérique à s'être lancé sérieusement dans l'entreprise américaine. Il n'y a pas de raison d'en refuser le mérite au clairvoyant François Ier, même si les moyens mis en œuvre restent dérisoires. Culturellement, l'impact est considérable : les Indiens que les marins normands ou bretons ramènent à Rouen, Dieppe, Saint-Malo, ou qu'ils fréquentent de façon amicale ou conflictuelle sur le rivage brésilien et canadien, disséminent déjà dans les opinions des hommes de ce temps la double image de l'indigène — cannibale ou bon sauvage ; cette seconde modalité connaîtra grande fortune en notre savoir, depuis Montaigne jusqu'à Rousseau, voire Lévi-Strauss. Territorialement, les choix ainsi faits sont moins heureux : les Français jettent leur dévolu, dès les années 1540, sur l'Amérique glaciale ; ils abandonnent le nouveau continent dans ses zones chaudes ou tempérées aux Espagnols, bientôt aux Anglais qui garderont ainsi les meilleures parts.

S'agissant de construction ou d'expansion de l'État, l'humanisme dont Budé dans son *Institution du prince* est l'un des porte-parole auprès du roi, ne propose que des suggestions fort générales. Elles sont tirées de l'Antiquité classique... et de la tradition bas-médiévale, incarnée jadis par Christine de Pisan. Elles vont volontiers dans le sens du renforcement d'un certain autoritarisme (sans qu'on puisse parler encore littéralement d'absolutisme : la structure décentralisée, noble, aristocratique, coutumière qui est chère à Claude de Seyssel, demeure trop forte). Elles dessinent les linéaments d'un Prince : il cultive Dieu, la justice, la sagesse et la prudence, celle-ci se définissant par le sens du réel. Ces conseils encouragent les tendances modernisatrices du roi ; il rogne, sur la lancée de ses prédécesseurs, le pouvoir des grands féodaux : en 1523, le connétable de Bourbon s'écœure des tentatives royales de mainmise sur ses biens immenses. Il « trahit » le Valois et passe à l'empereur. François Ier, non sans mal, réussit pourtant à le faire condamner par les parlementaires et peut ainsi réunir au royaume la plus grande part des héritages bourboniens du connétable, qui comprennent des provinces entières, dans le Centre-Est de la France.

Cette affaire suggère un contraste chronologique : au XVe siècle, la Praguerie sous Charles VII, la ligue du Bien public au temps de Louis XI, la guerre folle sous Charles VIII avaient sérieusement menacé, par les armes, le pouvoir central. Au XVIe siècle, le connétable de Bourbon ne regroupe, lui,

qu'une poignée de fidèles. Ainsi se démontrent, en marchant, les progrès de la pacification nationale et d'une obéissance croissante au pouvoir ; celle-ci désormais est d'autant plus librement consentie qu'elle est avantageuse aux deux parties : roi et sujets. Les Français commencent à prendre ou reprendre l'habitude invétérée de vivre ensemble, sans sombrer dans les guerres civiles. Ils réouvriront celles-ci, par suite des nouvelles dissensions d'ordre religieux, à partir de 1560.

Antiféodalisme ne signifie pas hostilité de principe à la noblesse. Bien au contraire : l'humanisme de François est d'essence aristocratique ; on voit même s'instaurer sous son règne, au niveau du gouvernement, une espèce de « réaction seigneuriale ». A la fin de Louis XII, le peuple gras, qui se compose de riches et savants roturiers éventuellement anoblis, flanqués de quelques petits personnages de la noblesse, avait dominé dans le Conseil d'en haut : Ganay, Poncher, Robertet, Cotereau, Hurault, Beaune-Semblançay, dont les noms n'évoquaient pas le sang bleu, étaient devenus principaux personnages du royaume. Un changement d'équipe s'avérait inévitable : en 1527, après un simulacre de procès, le grand argentier Semblançay est pendu*. Il sert de bouc émissaire et de justificatif à la remise en ordre des finances, obérées par les fastes royaux, et par les grosses dépenses consécutives au désastre de Pavie. D'autres exécutions d'hommes d'argent dont celle de Jean de Poncher, trésorier général du Languedoc, suivront jusqu'en 1535. Quelques années plus tard, la logique du changement suit son cours : le chancelier Duprat, né de bonne bourgeoisie auvergnate, s'était illustré notamment, en 1517, par la hauteur de vue de ses programmes protectionnistes, destinés à encourager l'industrie nationale et à freiner les pertes d'or et d'argent qu'éprouvait le royaume. Après sa mort en 1535, on ne dénombrera plus au Conseil d'en haut qu'une très forte majorité de grands seigneurs[1] : parmi eux « le Dauphin, Marguerite de Navarre et son époux Henri d'Albret, Montmorency, l'amiral Chabot, Claude d'Annebaut**, Claude de Guise, les cardinaux de Lorraine et de Tournon ». L'Ancien Régime est coutumier de ces fluctuations : une phase « bourgeoise » (ou plutôt robine) sous Louis XII finissant est donc suivie de périodes plus aristocratiques au temps de François. De même façon, les technocrates louis-quatorziens feront place aux grands seigneurs de la Polysynodie à l'époque de Philippe d'Orléans.

On ne doit pas exagérer l'importance de tels glissements : ils sont toujours réversibles. Néanmoins, la position assez constamment importante (malgré quelques disgrâces) du connétable de Montmorency, au temps de François Ier, dit bien à sa manière le rôle éminent que donne à la meilleure noblesse un roi qui, plus que tout autre, a grandi parmi les aristocrates distingués, dont il accepte le système des valeurs, chevaleresques et magnificentes. Que la connétablie soit passée d'un prince du sang (Bourbon) à un seigneur de famille non royale, quoique alliée de fort près aux Capétiens (Montmorency***), est révélateur : on limoge un très grand, mais c'est pour faire place à d'autres grands, qui sont un peu moins haut situés il est vrai, dans la vertigineuse échelle des statuts. La vaste principauté territoriale, bourbonienne pour la circonstance, régresse tendanciellement, au profit de la haute société de cour ; celle-ci est montmorencienne, simplement détentrice d'un archipel de seigneuries.

* Jacques de Beaune, baron de Semblançay, fils d'un riche marchand de Tours, devenu général des finances (du premier rang) en 1518, paie d'une condamnation à mort les déboires financiers de François Ier et spécialement l'endettement de ce roi à son égard. Il est pendu, octogénaire, le 11 août 1527.

** Claude d'Annebaut (mort en 1552), né d'ancienne noblesse normande, se signale par ses compétences militaires à l'attention de François Ier qui le fait maréchal et amiral de France. En outre, il est bien vu de la duchesse d'Étampes, maîtresse royale.
Philippe Chabot, seigneur de Brion (1480-1543), compagnon d'enfance de François Ier, militaire et diplomate, est premier ministre de facto pour quelque temps, à partir de 1535.

*** Anne de Montmorency a en effet épousé en janvier 1527 Madeleine de Savoie, fille du grand bâtard de Savoie, René, qui lui-même est demi-frère de la mère de François Ier, Louise de Savoie. Montmorency devient ainsi par alliance de main gauche, une manière de cousin germain du roi ; on ne saurait mieux dire que la famille royale, avec ses alliances, demeure le lieu central du pouvoir et des factions.

Ces phénomènes n'affectent pourtant que les sommets les plus en vue de l'État. Dans les profondeurs du « Léviathan » gouvernemental continue sans désemparer la montée des élites officières : elles n'ont guère à voir avec la spendide courtisanerie de Fontainebleau ou du Louvre. Le groupe des officiers tire en effet l'essentiel de ses forces d'une classe moyenne qui n'est plus tout à fait la bourgeoisie et pas encore la noblesse à part entière, celle-ci rurale, belliqueuse ou proche du monarque. Les futurs officiers viennent, en règle générale, des villes : ils furent éduqués dans les Facultés de droit, dont Guillaume Budé et André Alciat ont renouvelé le cursus. Surtout les cités, les parents d'élèves, l'Église fondent un peu partout au XVIe siècle des collèges humanistes, où les petits citadins aisés se frottent de latin ; ils se préparent, pour les plus doués ou les plus riches d'entre eux, à devenir un jour membres des nouvelles oligarchies du pouvoir, régional ou national. François Ier cède à des motifs fiscaux mais aussi aux besoins légitimes d'une expansion de la fonction publique : il vend donc des offices à tour de bras, il n'a pas de peine à recruter les candidats idoines qui sont susceptibles de meubler lesdits offices, tant l'instruction secondaire s'est répandue au fil du siècle et du règne. On comptait environ 5 000 officiers au début du règne de François Ier et 50 000, dix fois plus, en 1665, soit un taux de croissance annuel du nombre des officiers de 1,55 % par an. A supposer que ce taux ait été maintenu et même dépassé sous François, en un règne de prospérité et de prolifération officière, on compterait donc *déjà* 8 000 à 9 000 officiers à la fin du règne, en 1547. Surtout François, non content de laisser croître l'arbre de justice où niche la majorité des offices, donne le coup d'envoi aux profondes modifications apportées à l'État de finance ; celui-ci n'est cependant, pour le quart d'heure, qu'une des branches maîtresses de ce grand arbre et n'a pas droit au tronc central à part entière. En 1524, après une série d'édits dont il serait trop long de donner le détail, une centralisation du Trésor est mise en place, et perfectionnée en 1532 : le trésorier de l'épargne, récemment créé, collecte dans ses coffres du Louvre, à triple serrure, le produit des recettes dites « ordinaires » (domaine royal) et « extraordinaires » (impôts directs et indirects). Un trésorier des parties casuelles recueille d'autre part les recettes des décimes ecclésiastiques, ainsi que l'argent des emprunts et surtout des ventes d'offices, dont on vient de dire l'importance. A partir de l'« Épargne » ainsi créée, il est possible en principe, de contrôler le flux des dépenses de l'État, de l'armée, etc. Je dis bien, « en principe », car en fait l'État reste un panier percé : beaucoup de dépenses sont assignées localement sur des recettes provinciales dont le produit n'atteint jamais la capitale.

Flux des dépenses donc, mais aussi flot des recettes : pour mieux apprivoiser celles-ci, un texte de 1542 crée seize receveurs généraux ; leurs circonscriptions respectives vont bientôt coïncider avec les généralités provinciales où s'illustreront plus tard les intendants. Cette remarquable réorganisation des structures ne coïncide nullement avec un tour de vis scandaleux quant aux impôts, puisque la France en voie d'enrichissement versait, sous forme de revenus nets, 90 tonnes d'argent au roi et à ses agents en 1515 ; et 140 tonnes seulement en 1547 (la surcharge était d'autant moins lourde que l'argent-métal entre-temps s'était dévalué, du fait de la hausse générale des prix des biens réels, survenue pendant le règne, et qui lui survivra). Quant aux rentes sur l'hôtel-de-ville parisien qui marquent (théoriquement), à partir de 1522, le début du crédit public en France, elles ne correspondent encore qu'à des sommes globalement insignifiantes. Il y a donc bien sous

François Ier amélioration qualitative du système fiscal, sans que celle-ci soit nécessairement corrélée, comme il arrive trop souvent, avec un grave alourdissement quantitatif des impôts. C'est même cette insuffisance quantitative des prélèvements fiscaux qui provoque les malaises financiers du gouvernement, puisque la masse des taxes payées demeure inadéquate par rapport aux besoins d'argent accrus que provoquent les guerres incessantes.

Au terme de ce tour d'horizon, la personnalité de François Ier, sans être extraordinaire (lequel de nos rois mériterait cet adjectif, Henri IV excepté) apparaît comme solidement intégrée et bien accordée à l'esprit du temps dans ce qu'il avait de meilleur. D'où un certain nombre de réussites : il y a mélange d'archaïsme gothique et d'humanisme renaissant, aux doses convenables, et tel que le proposent les goûts et besoins des sociétés urbaines de l'époque... Avec des effectifs légers (moins de 10 000 officiers civils), avec un corps de bataille de 40 000 hommes en temps de guerre, qu'il faudrait comparer, les uns et les autres, aux 50 000 officiers civils et aux 300 000 soldats du temps de guerre sous Louis XIV, la paix intérieure est maintenue, la culture et l'économie progressent (87 % des forges françaises en 1542 ont moins d'un demi-siècle d'existence). Les guerres extérieures, même déraisonnables, affectent peu le cœur de la vie nationale : on vit et on meurt bien tranquille dans les provinces... Bref, l'État gouverne ou à tout le moins pacifie intérieurement le territoire qu'il contrôle avec une remarquable économie des moyens.

Ne baignons pas pourtant dans un optimisme rosâtre : les grands accomplissements que nous avons pu noter, dans le domaine des châteaux et des finances, des guerres ratées et de l'italianisme réussi concernent avant tout les groupes supérieurs ou moyens de la société. Quant aux classes qu'on appellera commodément et de façon désobligeante « inférieures », c'est une autre chanson. A Paris[2], le salaire moyen (journalier) du manœuvre du bâtiment avait plafonné, il y a bien longtemps, aux environs ou aux approches de 0,2 setier de froment par jour, la rémunération monétaire étant ainsi convertie par nos soins en son équivalent céréalier afin de rendre plus faciles les comparaisons d'un siècle à l'autre. Cet intervalle doré des salaires avait coïncidé avec les générations de l'homme devenu rare, ou qui restait rare, au cours des années 1450-1470, quand l'offre de travail (réduite) dictait sa loi. Puis se mettait en route une implacable décadence des rémunérations ouvrières. Néanmoins, elles conservaient encore de beaux restes à la fin du XVe siècle. Le désastre est enfin consommé sous François Ier qui du reste n'y est pas pour grand-chose non plus que ses successeurs. En réalité jouent les lois d'airain de l'expansion démographique, confrontée à une croissance inadéquate des productions alimentaires, et aux phénomènes de hausse des prix frumentaires, non maîtrisés, point maîtrisables : le salaire du manœuvre parisien tombe à 0,08 setier au temps de Marignan, et même à 0,06 setier (trois fois moins que sous le vieux Charles VII ou le jeune Louis XI) aux approches de la mort de François Ier. Dans les campagnes parisiennes, et à Lyon, la situation n'est guère meilleure. Pour en rester au salaire parisien, disons qu'il chute aussi bas pendant la dernière décennie de François qu'au cours des plus mauvaises périodes du règne de Louis XIV (décennies 1690 et 1706-1715). Le Bourgeois de Paris*, écrivant à l'époque du vaincu de Pavie, se lamente sur les disettes, les épidémies, l'insécurité qui obèrent la capitale et les villes environnantes : il ne sait pas mais il sent

Le camp du Drap d'or était ainsi nommé en raison des centaines de tentes qui s'y dressaient, couvertes de velours et précisément de drap d'or, à commencer par la tente à deux mâts du souverain français surmontée d'une statue de bois de saint Michel. Le 7 juin 1520, les deux jeunes rois François Ier et Henri VIII se rencontrèrent et, au terme d'un cérémonial fort élaboré, s'embrassèrent. Au cours du dialogue qui s'ensuivit, Henri renonça même (verbalement !) au titre de « roi de France » que ses prédécesseurs anglais avaient revendiqué pendant et après les guerres des XIVe et XVe siècles. Le 17 juin, François fit une visite impromptue au luxueux baraquement d'Henri VIII ; il entra dans sa chambre, le veilla, « lui chauffa sa chemise et la lui donna quand il fut levé ». Un championnat de lutte fut improvisé plus tard entre les deux monarques ; il vit la victoire du Français, sans que le Britannique s'en formalise en quoi que ce soit, à ce qu'il semble. Le 23 juin, une messe fut célébrée par le cardinal Wolsey, « qu'assistaient un légat du pape, trois autres cardinaux et vingt et un évêques ». Ce fut sans doute l'une des dernières grandes cérémonies « papistes » qui aient uni de la sorte les deux royaumes. Le Drap d'or n'eut guère de conséquences immédiates, malgré l'évidente bonne volonté de François. Il se situe néanmoins au cours d'une très longue période de relative détente (pas toujours cordiale) entre les deux nations, période plus que biséculaire qui prend place avec des hauts et des bas après la première guerre de Cent Ans, et avant le second conflit centenaire ; celui-ci opposera aux rois successifs de Londres, la France catholique puis révolutionnaire depuis Louis XIV vieillissant jusqu'à Napoléon Ier.

L'entrevue du camp du Drap d'or, copie d'une peinture du XVIe siècle, château de Versailles.

* Le Bourgeois de Paris est Nicolas Versoris, avocat au Parlement de Paris, auteur d'un livre de raison (1519-1530)[3].

que la paupérisation est en marche. Quant aux typographes lyonnais, détachement ouvrier d'avant-garde, ils inaugurent la pratique moderne des grèves en 1539. Les fruits de la Renaissance n'ont pas mûri pour tout le monde : une « sous-classe » de pauvres et d'errants a vu multiplier ses effectifs. A Lyon, les autorités municipales tentent de pallier ce paupérisme croissant par la création de l'*aumône générale* (1531) ; elle est subventionnée sur fonds citadins : elle se spécialise dans les distributions de pain, et dans le soin aux enfants abandonnés ou aux orphelins. Malgré ce courageux effort (dérisoire à l'échelle du royaume), les révoltes urbaines, en tout état de cause, demeurent nombreuses au XVIᵉ siècle ; la *Grande Rébeyne* de Lyon, en 1529, juste avant la fondation de l'aumône générale, est simplement la plus spectaculaire. Mais on n'avait pas vu depuis longtemps, depuis le premier XVᵉ siècle, de vaste soulèvement plébéien qui affecte non seulement les villes, ce qui va de soi, mais aussi le plat pays des environs ; or, malgré la relative mansuétude fiscale du pouvoir et la non moins remarquable docilité fiscale des populations, c'est effectivement ce qui se produit en 1542 sur le littoral atlantique de la Vendée, des Charentes et du Bordelais. Le prétexte en est l'extension des gabelles : elles deviennent désormais exigibles à part entière dans des régions qui jusqu'alors ne les connaissaient qu'à dose plus douce. Les rebelles antifiscaux de l'Ouest, aux débuts des années 1540, sont assez vite contenus, et François pardonne avec sa magnanimité coutumière (à vrai dire, il n'avait guère le choix, puisque la guerre extérieure l'empêchait de mener jusqu'au bout *manu militari* la politique répressive qu'il eût peut-être désiré employer dans les zones contestataires). La révolte paysanne contre les gabelles néanmoins représente un signal d'alarme : elle traduit l'exaspération d'un certain nombre de petites gens ; ils n'admettent pas que de nouveaux impôts viennent éroder encore un revenu familial dont ils savent confusément qu'il est en déclin progressif depuis deux générations. Elle annonce les grands soulèvements ruraux qui, de 1548 à 1707, flamberont à intervalles réguliers dans la moitié méridionale de la France, et en particulier dans le Sud-Ouest.

François meurt le 31 mars 1547. Il a préalablement congédié Anne de Pisseleu, duchesse d'Étampes, qui partageait sa vie depuis vingt années, en une liaison qui prenait des allures d'emphytéose. « Ce volage avait de solides fidélités. » Fin avril, le cadavre royal, embaumé, est porté au château de Saint-Cloud, appartenant au cardinal du Bellay. Une effigie du défunt, visage et corps, confectionnée par François Clouet, prend place sur un lit de parade, dans la salle d'honneur spécialement aménagée à Saint-Cloud. Pendant onze jours, on sert des repas, sur le mode monarchique, à cette effigie. (Il semble que cette idée de service de table fut empruntée au cérémonial des défunts empereurs romains, alors que la coutume même du mannequin venait tout droit du gothique finissant et des funérailles de Charles VI et Charles VII : une fois de plus, on rencontre *in vivo* la synthèse médiévale-renaissante, si typique de l'époque de François.) Le 22 mai, l'effigie pourtant mortuaire fait une entrée joyeuse dans Paris au milieu de la procession des corps constitués. Ainsi est signifiée la continuation de la monarchie, et spécialement de la justice royale ; celle-ci est symbolisée par le mannequin du roi et par les parlementaires en robe rouge qui se pressent autour de lui. Lors de l'inhumation à Saint-Denis (23 mai 1547) la bière est au trou, les objets de souveraineté (couronne, sceptre et main de justice) sont posés sur cette bière,

Page suivante, en haut à gauche. Oserons-nous, parallélisme sacrilège, et dans le style implicite de Madame de La Fayette au début de La princesse de Clèves, *comparer Henri II à Louis XIV ? Comme plus tard Louis, en effet, Henri a persécuté de façon constante et consistante les huguenots. (Ce sont même les deux seuls rois de France, depuis que protestantisme il y avait, qui se soient ainsi comportés avec autant de persévérance intolérante, d'un bout à l'autre de leur règne.) Comme le Roi-Soleil, et comme quelques autres souverains français, Henri a fort efficacement protégé les lettres et surtout les arts. Hercule gaulois, il a fait progresser le système administratif. Enfin, à l'instar (si l'on peut dire) de son lointain successeur, l'époux de Catherine de Médicis a su être militairement victorieux dans les premiers temps de son pouvoir, pour ensuite encaisser, sans perdre sang-froid, d'assez redoutables défaites au cours de la période suivante, le tout s'opérant, in fine, avec un minimum de dommages territoriaux pour le royaume. Comparaison n'est pas raison : celle-ci ne rehausse point nécessairement Henri, souvent mal aimé des historiens ; du moins a-t-elle le relatif avantage de ramener le troisième Bourbon, du haut de sa grandeur, à des dimensions plus humaines, voire plus modestes, celles du Valois « central » du XVIᵉ siècle.*

École italienne, Henri II, roi de France, *Chantilly, musée Condé.*

Page suivante, en haut à droite. *Diane de Poitiers (1499-1566) est l'archétype des maîtresses royales. Celles-ci, depuis Charles VII (Agnès Sorel) jusqu'à Louis XV (la peu reluisante Du Barry) constituent l'un des ingrédients plausibles quoique non indispensables (Louis XII, Louis XIII, Louis XVI n'en ont guère usé) d'une certaine vie de cour. De grand lignage, s'étant réservée pour le seul Henri II, princièrement dotée par l'amant (la demeure de Chenonceaux fut sienne), Diane maintient sous le règne d'Henri II un certain équilibre entre les Guise et les Montmorency ; ou du moins pratique-t-elle un jeu de bascule entre ces deux groupes. A la mort de François Iᵉʳ néanmoins (1547), elle contribua fortement à rapprocher les Guise du pouvoir, leur promotion étant de considérable importance pour la mise en place des structures répressives à l'encontre des huguenots, de 1547 à 1588.*

Le Primatice, Diane de Poitiers, *collection particulière.*

Page suivante, en bas à droite. *François de Montmorency (1530-1579) est le fils aîné du connétable Anne de Montmorency. Son père l'obligea à rompre le mariage d'amour qu'il avait échafaudé (et consommé) avec une demoiselle d'honneur de la Cour, et ce pour lui faire épouser Diane de France (bâtarde d'Henri II) : Diane fournissait ainsi aux Montmorency l'une de ces alliances royales de la main gauche dont ils étaient friands. Anne alla même, pour provoquer la rupture, jusqu'à faire promulguer en 1557 un édit contre les mariages secrets, avec effet rétroactif ! A la mort d'Henri II, François était gouverneur de Paris et d'Ile-de-France, et acteur important déjà sur la scène montmorencienne dont le connétable blanchi sous le harnois tirait de son mieux les ficelles. Comme ses cousins germains Coligny, passés carrément au protestantisme, François n'était pas le moins du monde un ultra du catholicisme ; il se montrait en cela moins violent que ne l'avait été son géniteur.*

École allemande, François de Montmorency, *château de Versailles.*

puis relevés ; on peut enfin crier : « Le roi est mort et vive le roi, vive Henri deuxième du nom par la grâce de Dieu roi de France, à qui Dieu doit bonne vie. » Le mannequin de François avait fonctionné comme deuxième corps de Sa Majesté : il assurait, du prince mort à son successeur, la transmission paisible des dignités suprêmes. Les Bourbons, moins formalistes en cela que les Valois, laisseront peu à peu tomber après 1610 ces rites d'un autre âge, au profit d'une personnalisation purement dynastique, individuelle et sanguine, des fonctions royales, personnification qui dans le très long terme s'avérera quelque peu dommageable à celles-ci. Il n'est jamais bon de confondre totalement une idée avec la personne éphémère ou charnelle d'un homme ou même d'un lignage. En 1547, l'effigie-mannequin, qui dans l'interrègne marque la transition, assure encore à la souveraineté comme telle une existence autonome et concrète, laquelle est opportunément détachée des deux hommes, le mort et le vif, qui se succèdent sur le trône à quelques semaines de distance. Le fait que ce mannequin soit taillé à la ressemblance physique du premier, non du second, ne change rien au fond de l'affaire.

Au défunt François Iᵉʳ succède donc en 1547 Henri II, jeune homme grave et plein de force, que ses nouvelles fonctions ne vont pas effrayer. Travailleur, ayant le sens du service de la Couronne et du salut de ses peuples, raisonnablement intelligent, parlant de façon convenable l'espagnol et l'italien, sportif comme l'était son père, auquel l'ont opposé par ailleurs de sérieux conflits, Henri est « tout os et muscle », craignant d'engraisser, chasseur et Nemrod jusqu'à la névrose ; il n'a pas toujours les qualités de charme et d'extraversion qui rendirent parfois populaire son prédécesseur. Les historiens d'autrefois, nullement féministes, lui reprocheront, comme s'il s'agissait d'une tare, sa liaison avec Diane de Poitiers, de vingt ans plus âgée que lui. Ils ridiculiseront sans raisons particulières l'affection filiale qu'Henri portait à Montmorency, guerrier médiocre, arrogant, intéressé et brutal certes, mais homme de paix dont l'influence, de ce fait, fut souvent positive. Notre époque, s'agissant de Diane, sera plus équitable. Somme toute, le ménage à trois qui s'organisait autour du nouveau souverain était côté maîtresse, emprunt de sensualité secrète ; côté femme, d'affection dévouée : Catherine de Médicis, épouse d'Henri II, fut reine réservée, sachant tenir son rang ; elle ne révélera ses capacités d'« homme d'État » qu'avec le veuvage et la régence.

La situation de la Cour à l'avènement d'Henri II est connue : coexistence parfois antagonique entre les factions des Montmorency et des Guise. Elle mérite néanmoins qu'on s'y arrête, car elle a valeur pédagogique pour l'ensemble des conflits de Cour, en trois siècles d'Ancien Régime.

Le connétable Anne de Montmorency, quinquagénaire déjà mûr, et favori familier du jeune monarque qui l'a tôt rappelé de la disgrâce provisoire infligée par le roi prédécesseur, a de nombreux enfants, dont l'un, François, épouse Diane de France, bâtarde d'Henri II ; l'autre, Henri, qui restera dans l'histoire (surtout languedocienne) sous le nom de D'Amville ou Damville, se marie avec Antoinette de la Marck. Il devient ainsi le petit-gendre de la maîtresse du roi : Diane de Poitiers, par la force des choses, se trouvera de ce fait amenée à soutenir sur le tard la faction montmorencienne. D'autre part, Louise, sœur du connétable, a une petite-fille qui épousera le prince de Condé, l'un de ces Bourbons dont les attaches protestantes se feront bientôt connaître.

Enfin la même Louise, en secondes noces, épouse Gaspard de Coligny, dont elle aura trois fils, attachés eux aussi à l'hérésie et détenteurs de prestigieuses positions dans l'État et la société : l'un, Odet, est cardinal ; le second Gaspard junior, qui deviendra célèbre, est amiral de France ; le troisième, Henri d'Andelot, est colonel général de l'infanterie.

Ainsi se définit au mieux la stratégie montmorencienne : valoriser au maximum les alliances de la main gauche (faute de mieux) avec la famille royale ; attirer donc dans son camp la bâtarde et la maîtresse monarchique ; simultanément, nouer d'autres alliances un peu moins rapprochées avec le lignage souverain, côté Bourbon ; au plan idéologique, les options bourboniennes et les choix des Coligny permettront aux Montmorency de donner des gages à la noblesse, au Parlement... et aussi aux protestants, dont l'importance, malgré la politique répressive d'Henri II, est déjà considérable dans la haute société française, à l'orée du troisième quart du XVIᵉ siècle.

Autre est la démarche des Guise, dont les origines et alliances familiales sont de plus puissante volée, de vaste diversité. Princes lorrains, ils sont proches parents des maisons souveraines de l'Europe. Claude de Guise, père de la « nichée » de ceux qui compteront sous ce nom, a épousé une Bourbon. Son fils François, à vingt ans bien sonnés, va devenir, sous Henri II, l'un des grands chefs de guerre de l'Occident. Il sera donc pour le nouveau roi cet atout qui manqua si cruellement à François Iᵉʳ, dont l'état-major militaire fut souvent (mais pas toujours) de bas niveau. Le jeune François de Guise se situe ainsi à l'opposé d'un Montmorency chenu, qui brille davantage à la table de négociation que sur les champs de bataille. François de Guise, en épousant Anne d'Este, est devenu le petit-gendre de Louis XII, et s'est donc greffé lui aussi sur le lignage Valois. Claude d'Aumale, fils cadet du même Claude senior, s'est marié avec Louise, fille de Diane de Poitiers, encore elle. Marie, fille du vieux Claude, a épousé Jacques V d'Écosse, dont elle a eu Marie Stuart, qui bientôt sera la femme du fils aîné d'Henri II, futur et éphémère roi de France sous le nom de François II. Les Guise, qui comptent en outre deux cardinaux, tiennent donc de toutes les manières, main droite surtout, et parfois main gauche, aux suprêmes familles de France, de Lorraine, d'Écosse, et à la Cour de Rome. Leur influence, belliqueuse et solidement pro-catholique, équilibre et au-delà celle des Montmorency-Coligny, plus pacifiante, et discrètement pro-calviniste sur les bords. Madame de La Fayette, dans le bel essai relatif aux cabales de cour qui ouvre *La Princesse de Clèves* utilisera comme exemple central l'opposition Guise-Montmorency, à titre d'illustration du paradigme des cabales dans l'entourage monarchique : elles sont corrélées aux antagonismes politico-religieux, et reliées d'autre part aux branches, nœuds, ramifications de la famille du souverain, sous Henri II ; et plus tard sous Louis XIV... avec des acteurs individuels et collectifs qui certes diffèrent !

Militairement parlant, les débuts du règne impressionnent : fort de l'alliance suisse, renouvelée en 1540, Henri flanqué de ses fidèles Montmorency et François d'Aumale (qui sera bientôt duc de Guise) oblige en 1550 les Anglais par des opérations combinées de terre et de mer à rendre Boulogne qu'ils occupaient depuis les dernières années du règne de François Iᵉʳ. Qui plus est, des Français, avec l'accord de la famille royale écossaise ont kidnappé de ses terres lointaines par quelque surprise, la jeune Marie Stuart, nièce des Guise, désormais destinée au dauphin, futur François II. Une entrée triomphale d'Henri II, célébrée à Rouen en octobre 1550, évoque les pers-

En bas à gauche. Né d'une vieille famille aristocratique de la France du Nord, Anne de Montmorency (1492-1567) fut en son enfance compagnon de jeux du futur François Iᵉʳ. Guerrier courageux et brutal, sinon adroit, il est fait dès 1522 maréchal de France et chevalier de l'Ordre de Saint-Michel. En 1527, il épouse une princesse savoyarde et devient ainsi « cousin » de François Iᵉʳ qu'il conseille au plus près, dans le sens de la rigueur, contre les protestants ; cette ligne dure, qu'il a en commun avec Duprat, l'oppose aux formules conciliatrices et érasmiennes de Marguerite d'Angoulême et de Jean du Bellay, volontiers écoutés par François Iᵉʳ jusqu'en 1534. En 1541, après une longue période de faveur suivie d'éclipses, Montmorency doit cependant se retirer de la Cour, tant devient évident l'échec de sa stratégie « procatholique », à base de pacificatrice entente avec Charles Quint. Homme de goût, et mécène richissime, il fait commencer, dès avant Pavie, les travaux de la grande galerie dans son château ou palais de Chantilly. Revenu en grâce dès l'avènement d'Henri II, Montmorency pendant une douzaine d'années fait pratiquement figure de Premier ministre. Bulldozer maladroit, il perd courageusement la bataille de Saint-Quentin (1557), mais contribue à la paix grosso modo raisonnable du Cateau-Cambrésis (1559). Il est duc et pair depuis 1551. « cul et culotte » (sic) en tout bien tout honneur avec Diane de Poitiers, maître de trois châteaux (Chantilly, Écouen, La Fère) et de vastes clientèles nobiliaires. La mort d'Henri II (1559) le replonge dans une semi-disgrâce. Il hésite quelque temps entre son hostilité aux Guise intégristes, et son aversion pour le protestantisme. Il choisit finalement celle-ci et en meurt, à la bataille de Saint-Denis contre les huguenots. Soldat malheureux, politicien souvent habile, le connétable a su « coller » aux réalités de son temps. Il a choisi Paris, l'Ile-de-France et le service de l'État à son propre bénéfice contre les tendances centrifuges. Son fils, Damville, les temps ayant changé, s'orientera judicieusement (à l'inverse) vers la périphérie languedocienne et vers l'alliance avec les huguenots, non sans prudence en fin de parcours. Son petit-fils Henri II de Montmorency croira bon d'imiter le père (Damville) et non le grand-père (Anne). Il favorisera donc le particularisme languedocien et sera de ce fait décapité sous Richelieu. Ainsi finira la lignée mâle des Montmorency directs.

École française, Anne de Montmorency, château de Versailles.

Der·Connestabel·in·Frankreich·

Toujours est-il que le pontife, nouvellement élu, intrigue de façon sérieuse pour délivrer du joug hispanique sa bonne ville de Naples, et pourquoi pas avec l'aide française. Le Vatican finit par s'attirer en représailles un début d'invasion espagnole dans les États du Saint-Siège en septembre 1556. Une armée française, conduite par François de Guise, descend au long de l'Italie, c'est maintenant presque une manie, et vole au secours du pape ; on espère toujours, follement, dépasser Rome... et récupérer le royaume de Naples, comme si l'on était encore au temps de Charles VIII. Onirique héritage des Angevins ! Les grands chefs français, Guise, Brissac, Monluc, sont enlisés, une fois de plus, dans la péninsule. En contrepartie, sur la frontière Nord de la France, les Espagnols ne demandent qu'à en découdre. Ils sont menés par Emmanuel-Philibert de Savoie, qui veut une revanche contre les Français : ils lui avaient jadis dérobé tous ses territoires des massifs alpins. Par lui sont écrasées les troupes du roi Valois près de Saint-Quentin (août 1557). La faute en incombe à leur chef, Montmorency, de moins en moins capable de livrer bataille. Guise n'a plus qu'à rentrer rapidement d'Italie pour rétablir la situation. Il y parvient en prenant Calais aux Anglais, qui entre-temps ont jugé bon de déclarer la guerre à la France. Henri II est somme toute étrillé, mais point anéanti. Il se retrouve face à des belligérants devenus moins agressifs, et signe enfin la paix du Cateau-Cambrésis en 1559. Elle équivaut pour la France à un « repli stratégique » sur des positions fortement préparées à l'avance. (Il est vrai que le monarque, inquiet de l'agitation protestante qui allait croissant sur le front intérieur, souhaitait peut-être la paix aux frontières afin d'avoir les mains libres chez soi pour réprimer les sectateurs de Calvin.) Donc, à Cateau-Cambrésis, la France accepte de rendre tout ce qu'elle tenait en Italie, au sens large de ce terme — Savoie, Piémont, Corse : la péninsule devient, pour une grande part, hispano-papale, Venise restant néanmoins sur son quant-à-soi. Mais le royaume d'Henri conserve, et ce n'est pas rien, Metz, Toul et Verdun. La ville de Calais, que les Anglais avaient si longtemps tenue — depuis 1347 — fait également retour à la « mère-patrie », ou à ce qu'on n'appelle pas encore de ce nom. Deux États-tampons, Lorraine et Savoie, garantissent mieux, à tout prendre, les frontières françaises, que ne feraient des conquêtes pures et simples, comme fut, pendant deux décennies, l'annexion savoyarde ; la sœur d'Henri II épouse d'autre part le duc de Savoie, perpétuant ainsi une tradition d'échanges matrimoniaux entre Capétiens et Savoyards qui continuera longuement sous les rois Bourbons. Philippe II, enfin, devient gendre d'Henri II ; ce mariage*, une fois n'est pas coutume, consolide effectivement la paix entre deux nations.

Le repli s'accompagne d'un tournant, lui aussi stratégique : Henri, dans le fond de son cœur, n'a peut-être pas encore renoncé à l'Italie ; mais la paix du « Cateau » revient à délaisser le rêve péninsulaire que les Valois caressaient vainement depuis 1494 ; la suite des événements, de toute manière, vaut renonciation : le décès d'Henri II, mort à la suite d'un tournoi (10 juillet 1559) sera suivi par près de trente-cinq années de guerres religieuses ; beaucoup plus tard, Henri IV et ses successeurs manifesteront eux aussi quelques ambitions ou velléités italiennes ; mais pour l'essentiel, elles ne seront plus territoriales, du moins jusqu'aux annexions de Corse, Nice et Savoie, effectuées respectivement en 1769 et 1860. La présence du lignage Habsbourg, par contre, aussi bien viennois qu'espagnol, demeure épineuse question sur les frontières flamandes, germaniques et pyrénéennes ; mais là aussi, après 1560, le pouvoir parisien est trop sollicité par les problèmes religieux de l'intérieur du royaume, le temps d'une génération, pour avoir

*A droite. Il s'agit là d'une des plus remarquables cheminées décorées du château d'Écouen, qui comptait pourtant une bonne douzaine de « foyers calorifiques » du même genre : « Les cuirs découpés, sur le pourtour de l'ovale du tableau, se mêlent à tout un monde d'angelots, de putti, de faunes, d'animaux et de végétaux, d'une rare luxuriance. Les effets d'ombre tiennent compte de l'éclairage naturel de la salle, qui s'effectue par une baie située à gauche de la cheminée. Au centre est figuré non pas un épisode biblique, comme sur les onze autres cheminées d'Écouen, mais un événement évangélique, le Tribut à César. Le groupe de petits personnages et le paysage, d'esprit très flamand, se réfèrent, d'autre part, à la manière "bellifontaine" de Nicolo Dell'Abbate. » Le décor ainsi mis en place date du milieu des années 1550. S'agissant de la scène du « Tribut » représentée ici, le spectateur pense nécessairement à la parole du Christ : « Rendez à César ce qui est à César et à Dieu ce qui est à Dieu » ; elle a fourni aux cultures occidentales l'un de leurs thèmes importants, fondé sur la séparation du spirituel et du temporel. En cette œuvre, les éléments issus de la Renaissance antiquisante (le pourtour) cernent la maxime chrétienne, qu'illustre la peinture centrale. (D'après Pierre Kjellberg.) Montmorency, dont on souligne souvent la brutalité, était néanmoins (comme nombre de seigneurs de son époque, et à l'instar de ses patrons François Ier et Henri II) un mécène fort éclairé. (Sur Écouen, on se reportera aussi aux belles recherches d'Anne-Marie Lecocq.)

Détail d'une cheminée, château d'Écouen.

* Philippe II épouse en effet en 1559, aux termes du traité du Cateau-Cambrésis, Élisabeth de Valois, fille d'Henri II ; elle lui donnera deux filles, et décédera en 1568.

gabelle de type septentrional, que l'administration de François vieillissant et d'Henri débutant avait cru pouvoir leur imposer, dans un premier moment de voracité fiscale, d'illusion intégratrice et de centralisation prématurée. Les révoltés ont mis bon ordre aux rêveries hyper-égalisatrices.

En matière d'hérésie, on ne connaît pas de ces demi-mesures. L'hésitation n'est plus de mise, dont avait fait preuve François Ier au début de son règne, quand les conflits de religion, provisoirement mal délimités, étaient encore comme une « bataille navale nocturne », où l'on séparait difficilement l'ami de l'ennemi, l'orthodoxie de l'hétérodoxie. Mais c'était avant 1534, avant l'affaire des placards ! Henri se place d'entrée de jeu dans une situation de « Révocation », comme celle que mettra sur pied son lointain successeur Louis XIV. Il n'y a pas de place dans le royaume pour une foi non catholique, se voudrait-elle chrétienne, et même plus chrétienne que ne sont, par hypothèse, les croyances officielles de l'Église établie.

Et pourtant... malgré quelques tentatives extrémistes dont il serait trop long de donner le détail législatif, la France de 1550-1560, si hostile qu'elle soit envers le calvinisme, ne devient pas pour autant un pays d'inquisition à l'exemple de l'Espagne. Certes, aux termes de la jurisprudence compliquée, répétitive et parfois contradictoire qui se met graduellement en place durant la décennie du mi-siècle, les juges d'Église ont et prennent connaissance des « crimes » d'hérésie. Néanmoins, les magistrats laïcs conservent souvent le dernier mot en la matière, notamment quand le scandale s'avère public. Fonctionnent normalement à ce sujet les chaînes canoniques d'appel, de bas en haut, depuis les juges locaux et seigneuriaux jusqu'au Parlement, en passant par les présidiaux, bailliages et sénéchaussées. Ainsi se trouve fondée la tradition solidement et parfois atrocement anti-huguenote des Parlements français, pour les deux siècles à venir ; d'autant plus que ces tribunaux suprêmes furent épurés ou se sont débarrassés avec rigueur de la minorité des juges à sympathie protestante, qu'on y rencontrait encore çà et là au début du règne d'Henri.

Maigre soulagement... mais consolation quand même : le royaume de France, grâce à cette prééminence des pouvoirs civils, maintenue au détriment de ce qu'eût été un arbitraire purement clérical, évite de tomber jusqu'aux niveaux de fanatisme ultime et d'intolérance qui caractériseront pour une longue période la collectivité ibérique, en ses attitudes inquisitoriales.

La répression légale contre l'hérésie fait une centaine de victimes en dix ans à partir de 1557. C'est peu à côté du bain de sang qu'occasionneront bientôt, pour les deux partis, trente-cinq années de guerre civile. Cette répression culmine en un pogrom très parisien contre les huguenots lors d'une assemblée des religionnaires à la rue Saint-Jacques (septembre 1557). Culmination aussi avec le supplice d'Anne du Bourg (1559), courageux leader des petites fractions protestantes au sein du Parlement, désormais éradiquées après le décès dudit « martyr ». Le Parlement de Paris restera donc pour la suite et fin de sa carrière, catholiquement monocolore.

La lutte anti-hérétique importe moins pourtant que l'essor même des courants réformés, et principalement de leur variété calvinienne. Depuis 1541, le séjour de Jean Calvin à Genève se poursuit sans interruption et coïncide

Selon Jacques Le Goff, reprenant et modifiant parfois certaines affirmations de Marc Bloch « le rite royal de la guérison des écrouelles n'est devenu une pratique habituelle en France et en Angleterre qu'au milieu du XIIIe siècle ». Quelques centaines d'années plus tard, Henri II, en 1547, immédiatement après son sacre, s'en vient au prieuré de Corbeny (Aisne actuelle, canton de Craonne) pour toucher des scrofuleux dans le sanctuaire local, placé sous l'invocation de saint Marcoul. Des Français, mais aussi des non-régnicoles, font en la circonstance le déplacement jusqu'à cette localité, pour bénéficier des royales aptitudes à guérir. Les comptes officiels portent en effet la mention suivante : « Aux malades d'écrouelles espagnols et autres étrangers la somme de quarante-sept livres dix sols tournois a eux ordonnés par ledit sieur grand aumônier pour leur aider à vivre et aller à Saint-Marcoul attendre pour être touchés. »

Le livre d'heures d'Henri II, œuvre collective d'un atelier d'enlumineurs, montre ici Henri II en costume royal (couronne, et grand manteau fleurdelysé doublé d'hermine) allant de malade en malade. Les égrotants semblent être d'assez modeste condition. Un aumônier et des seigneurs apparaissent à l'arrière-plan (à droite).

L'église est en style mi-gothique, mi-Renaissance, comme il convient à une telle représentation (légèrement fantaisiste), datée du milieu du XVIe siècle. Saint Marcoul (modeste patron, à l'origine, d'un monastère ex-normand) devient, à partir du XIIe siècle, le médiateur attitré des grâces célestes ainsi répandues par l'entremise des rois. Ceux-ci doivent donc, dès le règne de Jean le Bon, faire escale à Corbeny après le sacre. Au temps d'Henri II, les sceptiques italiens de l'école padouane (Pomponazzi, etc.) tendent à expliquer le miracle (qu'ils ne nient point en tant que tel) par des causes purement naturalistes. Malgré les voltairiens, le toucher royal persistera jusqu'à Louis XVI et même Charles X.

Le roi touchant les écrouelles, Heures d'Henri II, Paris, Bibliothèque nationale.

Rien de comparable ne se produit, rien d'aussi frénétique en tout cas, de 1560 à 1715. La population stagne, avec des bas et des hauts, ou peut-être augmente-t-elle légèrement entre ces deux dates. Mais c'est peu de chose en comparaison de ses croissances ou récupérations extrêmement vives, telles qu'elles s'étaient manifestées depuis la fin du règne de Charles VII jusqu'au décès d'Henri II. Dans ces conditions, le hachoir successoral va cesser d'exercer ses ravages au XVIIe siècle. Dans certains cas, des processus inverses vont même jusqu'à s'instaurer. Autour de Paris, par exemple, des facteurs nouveaux se font sentir ; démographiquement, économiquement, financièrement, le dynamisme de la capitale, bientôt flanqué du satellite versaillais, est tel qu'il offre un débouché très élargi aux produits du sol, dans les limites terriennes d'une dizaine de nos départements actuels. A cela vient s'ajouter, dans Paris même, la présence de riches et puissants rassembleurs de terres (nobles, clercs, officiers, voire marchands) dont l'impérialisme foncier s'exerce sur de vastes portions du Bassin parisien.

Aussi se forment ou se développent en ces régions, sous Henri IV, Louis XIII et Louis XIV, les grands domaines agricoles (jusqu'à cent hectares, et parfois davantage) ; leurs propriétaires-rassembleurs les baillent (contre une rente foncière annuelle et renégociée tous les trois, six ou neuf ans) à de gros fermiers déjà fort efficaces (même si cette efficacité ou productivité, faute de bétail bovin et de fumier en quantité suffisante, demeure inférieure à celle qu'atteignent leurs congénères britanniques, les grands *farmers* du bassin de Londres). Entrepreneurs agricoles de première force, à l'échelle française, nos fermiers « circumparisiens » sont connus également sous la dénomination de « receveurs de seigneurie » ou « coqs de village ».

On assiste aussi à une normalisation de longue durée des principaux revenus agricoles et des prélèvements qui les rongent. Le salaire réel (rural), après son effondrement somme toute désastreux du XVIe siècle, cesse de décroître, ou parfois s'améliore un peu au temps de Louis XIII et Louis XIV. En tout cas, il ne descend plus au-dessous du niveau-plancher qu'il avait atteint à la veille des guerres de Religion et pendant celles-ci. Faut-il ajouter qu'il pouvait difficilement tomber plus bas... Le prolétariat agricole, sur cette lancée descendante, aurait fini par périr d'inanition.

Si le salaire est stabilisé « au plancher », les prélèvements, eux, se normalisent « au plafond ». Dire cela, c'est bien sûr s'exposer à une objection de poids : la rente foncière, *alias* fermage, connaît, elle, une certaine augmentation supplémentaire au XVIIe, par rapport à ses niveaux du XVIe siècle. Mais signalons immédiatement que cette hausse, en effet, d'un grand prélèvement est avant tout régionale : elle ne concerne, jusqu'à plus ample informé, que les régions languedociennes, voire méditerranéennes ou méridionales, où les fermages deviennent particulièrement lourds au temps de Louis XIII et du jeune Louis XIV. Mais n'est-ce pas tout simplement parce que dans ces pays d'impôt réel qui pèse au détriment des propriétaires, ceux-ci ne manquent pas de réagir : ils réussissent à répercuter sur leurs fermiers pressurés davantage, le poids croissant de l'impôt, alourdi par les soins des cardinaux-ministres, Richelieu ou Mazarin... Ailleurs, là où les institutions fiscales sont différentes, et notamment dans les zones essentielles du Bassin parisien, la rente foncière est bien incapable de battre, au temps des trois premiers Bourbons, les records déjà fort élevés qu'elle avait établis pendant le beau XVIe siècle de la Renaissance épanouie, au temps de François Ier et même d'Henri II. Tout au plus notera-t-on que dans les pays

CHAPITRE 7

LE CONFLIT CONVIVIAL

Ce tableau s'inspire, en principe, des Guerres des Romains, œuvre de l'historien antique Appien, qui décrivait les massacres opérés par les triumvirs : Octave, Antoine, et Lépide.

L'allusion au « Triumvirat » conclu en 1561 entre Montmorency, Saint-André et Guise n'a pas tardé à s'imposer auprès des amateurs puisque aussi bien, ce trio « moderne » s'est montré actif et même sanguinaire envers les calvinistes. Le massacre de la Saint-Barthélemy donnera du reste toute son ampleur à ce genre d'iconographie sans qu'on y retrouve toujours les « grâces » (?) répandues dans le tableau ci-dessus. On peut reprendre à son propos les commentaires de Sylvie Béguin : « Le peintre par son impassibilité et la fraîcheur de sa palette donne à ces scènes horribles une sorte de gaieté, disposant comme des parterres de fleurs ou des bouquets les têtes coupées parmi lesquelles les personnages semblent esquisser des figures de ballet sous le regard glacé des statues. » Voir sur ce point l'ouvrage de J. Ehrmann, Antoine Caron, et aussi les commentaires de Sylvie Béguin dans le catalogue de l'exposition consacrée à l'École de Fontainebleau (Grand Palais 1972-1973).

Attribué à l'entourage de Nicolo Dell'Abbate ou à Antoine Caron, Le massacre des triumvirs, Beauvais, musée départemental de l'Oise.

L a France de 1560 compte deux Églises dressées, minoritaire et majoritaire, huguenote et papiste. Elles s'affrontent avec détermination. En cette occurrence, quelle ligne doit suivre l'État ? Va-t-il se rallier aux idées protestantes ? Un tel choix serait presque inconcevable, même si d'aucuns, jusque dans les sommets du pouvoir, Catherine incluse, ont quelquefois joué avec une hypothèse de ce genre. En sens contraire, l'État devra-t-il adopter une attitude intolérante, ultra-catholique ? Ou bien, ultime option possible, jouera-t-il un rôle conciliateur, vis-à-vis des « religions » contradictoires ? Telle apparaît l'alternative : être dur ou mou, faucon ou colombe, duc de Guise ou chancelier de L'Hospital... La question restera longtemps d'actualité : l'affrontement catholique-huguenot, qu'il soit ou non sanguinaire (cela dépend des périodes) a commencé dès 1520 ; il s'exacerbe vers 1560 ; il se poursuivra, sous des formes variées... jusqu'au XVIIIe siècle, quitte à changer d'allure et à baisser d'un ton, après cette ultime époque.

La ligne dure, celle des oppressions pures et simples, fut déjà suivie, bien avant 1560, sous François Ier, pendant la seconde partie du règne, et surtout sous Henri II, prolongé sur ce point par François II (en fait, ce roitelet éphémère laissait agir les Guise, extrémistes et omnipotents dans son Conseil d'en haut). Beaucoup plus tard, Louis XIV ressuscitera la politique persécutrice, avec redoutable efficience, au temps de son pouvoir personnel (1661-1715). Rois destructeurs de huguenoterie, donc ! Chez eux, la rudesse protestantophobe est tout au plus atténuée, nuancée par le gallicanisme. Ils sont loin, en effet, de donner adhésion intégrale aux positions du Vatican : à vrai dire, pour le calviniste brûlé ou pendu, la consolation est mince de se savoir tué du fait d'une Église gallicane au souverain toute dévouée, et non par un clergé qui serait strictement centré sur l'autorité romaine.

Et puis s'individualise une autre démarche, plus douce : elle est faite non pas certes de « tolérance » (le mot serait prématuré), mais de coexistence, au reste extraordinairement conflictuelle, et qui peut même tourner par moments aux guerres froides, voire chaudes ! Elle peut aussi, en des périodes plus riantes et surtout plus tardives, évoluer vers l'authentique apaisement : ainsi en sera-t-il pendant les dernières années de l'Ancien Régime. La stratégie coexistentielle est donc riche de multiples variantes. Prise en bloc, elle fait néanmoins contraste avec les phases de persécutions préméditées, dans le style violent d'Henri II ou de Louis XIV. Elle fut implicitement inaugurée, quoique à tâtons, par François Ier, pendant l'initiale portion du règne, à laquelle l'affaire des placards, en 1534, devait mettre fin. Elle

France et à se sauver elle-même. Au collogue de Poissy (septembre-octobre 1561), L'Hospital et la reine mère (assez complaisante aux idées huguenotes en ce temps-là, ainsi que ses fils) tâchent de faire dialoguer les théologiens ou sommités des deux bords : prêtres et ministres ; cardinal de Lorraine (encore un Guise) et Théodore de Bèze (huguenot). L'affaire achoppe (notamment) sur la présence réelle du Christ dans l'Eucharistie ; la simple remise en cause de ce dogme, par les soins de Bèze, suffit à faire crier au sacrilège les cardinaux, Tournon surtout, et Lorraine, bientôt épaulés par l'Espagne, les jésuites, la papauté. Il n'empêche que pendant la plus grande partie de 1561, Catherine et L'Hospital réussissent à mettre sur pied une espèce d'union nationale, union sans amour certes, représentée jusqu'aux plus hauts postes de l'État, où siègent les ultra-catholiques (Guise), les modérés (L'Hospital) et les protestants (Coligny, Odet de Châtillon). Étonnante cohabitation catholico-calviniste. La situation semble ouverte. Aux portes de Paris, en 1561, le culte huguenot est pratiquement libre. Les tensions néanmoins sont fortes. Tensions théologiques : quoi que pense ou espère Catherine, on ne concilie pas l'eau et le feu, la présence réelle ou l'absence vide dans l'Eucharistie. Tensions sociologiques : les communautés rivales s'affrontent et déjà s'entretuent au nom des deux *Credo* ; les biens d'Église, mis dans la balance, alimentent la rapacité des laïcs et la frustration des clercs. Les menaces de jacquerie paysanne apparaissent dans le Sud-Ouest. Le fragile replâtrage entre les deux camps se brise lors du massacre de Wassy (mars 1562), espèce de pogrom antiprotestant, mené par les soldats du duc de Guise, en sa présence et sur ses propres terres. Fin mars 1562, le destin du royaume et de l'Église, et même la légitimité ne tiennent plus qu'à un fil. Cette dernière est à prendre ! Condé et les huguenots auraient pu, à l'époque, s'emparer de Charles IX comme de la reine avec le consentement de celle-ci, et peut-être faire basculer la nation, à terme, dans le camp protestant. Faute de clairvoyance ou de décision, ils ratent cette opportunité. L'histoire ne sert pas deux fois des plats de cette espèce. Guise, lui, saisit la fortune aux cheveux. Il donne toute sa chance au catholicisme français, qui en effet sortira demi-vainqueur de l'épreuve, quoique couturé de plaies profondes. Le 31 mars 1562, sous garde armée, les guisards acheminent la Cour, la reine et le roi, pratiquement prisonniers, vers la capitale. C'est un peu le destin que connaîtront Louis XVI ainsi que sa famille, arrachés de Versailles les 5 et 6 octobre 1789, pour être installés de force dans Paris. Mais Catherine n'est pas Louis Capet ; à défaut d'empêcher le putsch parisien ou guisard, elle circonvient celui-ci.

Après mars 1562, les protestants français, progressivement soutenus par Londres*, se trouvent séparés du gouvernement royal ; ils sont contraints, depuis Wassy, aux rébellions, et cela à Orléans comme à Rouen. A vrai dire, ils ne demandent pas mieux que de se révolter. Pour empêcher la jonction des calvinistes avec les Britanniques, la forte armée royale (30 000 hommes) met victorieusement le siège devant Rouen huguenot (automne 1562). Ambivalente comme toujours, Catherine fait le coup de feu sous les murailles contre les artisans huguenots de la ville, rangés en bataille aux créneaux. En sous-main pourtant, elle rêve de réconciliation. Les succès catholiques à Rouen, puis à Dreux (décembre 1562), mais aussi la mort violente ou la captivité des principaux chefs papistes *alias* « triumvirs » (Guise, Saint-André, Montmorency) permettent, par affaiblissement du jusqu'au-boutisme, un certain retour à la paix, et aux idéaux de L'Hospital, en 1563. La régente, de nouveau, met en honneur la tolérance, ne serait-elle que miti-

A droite, en haut. Au premier plan, tout en bas de la gravure, à droite et à gauche, les gens du Tiers État. Un peu devant eux, les nobles, dont les chevaliers de l'Ordre du Saint-Esprit (à droite) ; le clergé, incluant les évêques (à gauche). Au centre le pouvoir déjà ministériel (les quatre secrétaires d'État, harangués par le délégué du clergé). Derrière eux, le pouvoir militaire : les quatre maréchaux. A gauche, le connétable de Montmorency, tenant l'épée de France. A droite, le chancelier en robe, incarnant l'État de justice. Entre ces deux personnages, le duc de Guise, comme grand chambellan. A droite du chancelier, les princes du sang. A gauche du connétable, les cardinaux, princes de l'Église. Au fond la famille royale. De gauche à droite (assis), le roi de Navarre, Monsieur frère du roi (et futur Henri III) ; sur le podium, Charles IX et Catherine de Médicis ; la sœur du roi, et la duchesse de Ferrare, fille de Louis XII, sont à l'extrême droite. Au fond les gardes. Tout l'« État royal » est là : les trois ordres, les structures dominantes (armée, justice, ministère, haute Église, famille royale). En janvier 1561, après la mort de François II, ces États d'Orléans marquent les débuts de la politique d'ouverture, à la fois ferme et souple, du chancelier Michel de L'Hospital.

Gravure de Hogenberg, d'après J. Tortorel et J. Perrissin, Genève, Bibliothèque publique et universitaire.

* En septembre 1562, Elisabeth accorde un gros soutien en hommes et en argent aux chefs huguenots ; elle est motivée par le souci de venir en aide à la Réforme française, mais aussi par l'espoir (affiché) de récupérer Calais.

gée, à l'égard des huguenots (édit d'Amboise, 1563). Les chefs protestants reprennent place au Conseil d'en haut, à côté des deux factions catholiques, la dure et la douce.

Ces deux années de guerre, froide, puis chaude (1561-1562), ont au moins le mérite d'éclairer les composantes et directions des partis en présence. Tandis que l'État de justice, avec Catherine et L'Hospital, s'efforce de tenir, non sans cahots, le milieu de la route, les protestants, ou leurs « bras armés » se radicalisent quelque peu. A la base, on trouve leurs 1 400 « églises plantées » du début des années 1560[1], chiffre maximal ; les adhérents de celles-ci détiennent, pour nombre d'entre eux, un minimum d'alphabétisation, de moyens matériels et de position sociale.

Géographiquement, le « croissant de lune huguenot » est déjà dessiné dans un Midi largement conçu, quelque peu protégé des répressions menées par le Parlement parisien, ou des incursions trop fréquentes de l'armée royale. Ce croissant fertile va de La Rochelle à Montpellier en passant par Agen ; il remonte ensuite de Nîmes à Grenoble, voire à Lyon. Il écorne largement les Cévennes : mais il abandonne aux vieilles idées catholiques l'ensemble du Massif central, et aussi la Bretagne, l'un et l'autre étant épargnés par le culte nouveau, du fait de l'isolationnisme et du primitivisme infertile, typique des zones granitiques et des pays coupés. Grosse différence d'autre part d'avec le XVIIe siècle : le croissant huguenot du Midi, dans l'hexagone, n'est pas seul en France, ou pas encore. La Loire moyenne, principalement l'Orléanais, demeure (pas pour longtemps) une rue des ministres ; la Normandie persiste à huguenotiser. Orléans, Caen, Rouen sont donc bases protestantes et souvent ensanglantées au début des guerres de Religion (1562).

A la tête du parti réformé, on trouve une portion de la famille capétienne (les Bourbon-Condé) et certains grands seigneurs, éventuellement pourvus d'alliances royales : parmi eux, les La Rochefoucauld, les Rohan, et surtout les Châtillon-Coligny ; ceux-ci sont neveux des Montmorency, dont l'un des jeunes hommes, François, s'est uni aux Valois par le biais d'un mariage avec Diane de France, bâtarde d'Henri II.

Les Bourbon-Condé incarnent, comme descendants latéraux de saint Louis, une certaine légitimité monarchique ; ils font avantageux contraste avec le « féodalisme » semi-étranger des Guise, ces Lorrains qui se prétendent descendants de Charlemagne. La famille des Bourbons est douée de plusieurs « têtes » : l'aîné, Antoine de Bourbon, roi de Navarre, a flirté, presque autant que son épouse Jeanne d'Albret, avec « l'hérésie ». Mais Navarre, en termes culturels et politiques, est un instable : il caresse toujours l'espoir de rentrer en possession de son royaume navarrais, outre-Pyrénées, qui fut « volé » en 1512 par les Espagnols*. Dans la perspective d'amadouer à cet effet le pieux Philippe II, Navarre abandonne donc, dès le début du règne de Charles IX, les velléités protestantes : il rentre avec armes et bagages dans le giron de l'Église romaine. Jeanne d'Albret, en revanche, se fait décidément calviniste ; nous avons noté qu'elle a converti d'autorité son Béarn à la foi huguenote sur la base de l'illustre principe « Dis-moi qui te régit, je te dirai quelle est ta religion ». Elle offre à la Réforme son fils Henri, futur Henri IV. Enfin, Louis de Bourbon, prince de Condé, frère cadet du roi de Navarre, est cal-

---

* Plus précisément, rappelons que Ferdinand le Catholique enleva en 1512 à Henri d'Albret toute la Haute-Navarre, ne laissant pour l'avenir aux Albret que la Basse-Navarre, située au nord des Pyrénées.

viniste lui aussi mais influençable. Tendre aux dames, il n'a pas toujours la fermeté de vieux Romain qui serait indispensable à un leader-né des factions huguenotes. Mais ce guerrier courageux a su donner au parti protestant sa première ossature militaire. Il a redoré le blason politique et belliqueux des Bourbons, bien terni depuis la trahison du connétable. Dans la grande remontée du lignage bourbonien (qui sera définitivement consacrée en 1589-1594 par l'avènement d'Henri IV) Condé constitue donc un chaînon, ou un adjuvant capital.

De fait, Condé assure d'abord une transition. Puis l'amiral de Coligny au cours de l'année cruciale (1562) devient le véritable chef du parti huguenot. Par Montmorency dont il est neveu, il est relié au lignage royal. Une autre alliance l'associe aux Bourbons puisque sa nièce Eleanore de Roye a épousé Louis de Condé. Coligny est un intellectuel de qualité, bon latiniste, homme de réflexion et d'action ; il est conscient des tristes nécessités de la guerre civile. Elles contraignent son parti « rebelle » à pactiser avec l'Angleterre élisabéthaine. L'amiral apporte aux églises protestantes une précieuse compétence guerrière : dès le règne d'Henri II, il était l'un des chefs de l'armée royale. Il a cependant affaire à forte partie : s'agissant d'armée, les catholiques durs et les guisards sont en effet pourvus de larges moyens. Le duc de Guise et le connétable de Montmorency, l'un et l'autre allergiques à l'hérésie, commandent à titre officiel les troupes du monarque ; cela leur donne à tous deux, dès le départ, une vaste supériorité par rapport aux bandes protestantes : celles-ci ne sont recrutées que de bric et de broc, de noblesse sympathisante, de volontariat français, de mercenariat germanique. Qui plus est, les Guise tiennent à leur dévotion les Parlements. Enfin, ce qui ne gâte rien, le cardinal de Lorraine, frère du duc de Guise, est l'un des principaux dirigeants de l'Église de France. Celle-ci, dans sa majorité, soutient principalement le camp de l'ultra-papisme (malgré l'indéniable influence d'évêques modérés comme Jean de Monluc et Morvilliers*). Les clientèles du catholicisme extrême sont immenses ; elles s'appuient d'une majorité silencieuse, dans les campagnes et dans un grand nombre de villes. Celle-ci, piquée au vif par le scandale que constitue en soi l'existence d'un culte concurrent, ne demande qu'à s'éveiller. D'ores et déjà, au commencement de Charles IX, sont apparus certains embryons de ligues papistes : au plan national, c'est le « triumvirat » (Guise, Montmorency et Saint-André). Au plan régional, le guerrier Blaise de Monluc, partisan français de Philippe II, galvanise l'énergie catholique en un Sud-Ouest qu'ont souvent infiltré les huguenots.

L a paix pourtant est de retour pour quelques années, à partir de 1563. L'État peut donc exercer derechef l'une de ses vocations normales, qui est de restaurer tant bien que mal la concorde civile, par conciliation entre les royaux, les huguenots, les intégristes. Dans cette situation de détente, les vingt-sept mois de voyage ou « tour de France » initiés le 24 janvier 1564, au cours desquels Catherine présente à son fils Charles IX un grand État, constituent à eux seuls un événement pacifique et d'importance, un révélateur ou un analyseur de l'attitude des sujets envers la monarchie et vice versa. La Cour, accompagnant le jeune souverain, a quitté Paris ; puis elle a piqué vers l'Est, via Troyes, pour aboutir à Bar-le-Duc ; de là, marchant vers le Sud, elle est descendue au long de Saône et Rhône ; par Montpellier, Carcassonne et

* Jean de Monluc (1508 ?-1579), évêque de Valence, est un catholique modéré, à la différence de son frère le maréchal Blaise de Monluc, plus engagé dans la cause de l'Église romaine.
Jean de Morvilliers, évêque d'Orléans, est d'origine robine, catholique conciliateur lui aussi.

Toulouse, elle a traversé le Languedoc, sous les rigueurs du grand hiver de 1565. Un séjour à Bayonne constitue l'étape controversée : les contacts entre le gouvernement français et la Cour d'Espagne, rencontrée à cette occasion, sont censés préparer, à en croire les huguenots, le massacre de la Saint-Barthélemy. Affirmation fausse mais prémonitoire. Depuis Bayonne, à travers les Charentes, la royauté, toujours ambulante, remonte vers les pays ligériens et le Bourbonnais. Le retour à Paris s'opère au printemps de 1566. Compte tenu des allées et venues, on a marché ou chevauché sur près de 4 500 kilomètres. On a gouverné par la présence, en voyageant, en bougeant un jour sur deux. C'est la façon traditionnelle d'exercer le pouvoir, guère différente des comportements gyrovagues d'un Charles Quint, ou même d'un Mulay Hassan, sultan du Maroc de 1873 à 1894. Le peuple français observé d'une Cour itinérante, est devenu collection de trajets, de provinces, de villes : on impressionne d'autant plus celles-ci qu'on a peu de temps à consacrer à chacune d'elles. Le tourisme (antiquisant) n'est pas négligé, si l'on en croit Boutier, Dewerpe et Nordman, excellents chroniqueurs de ce déplacement.

Pour une fois, la Cour outrepasse le trinôme usuel de ses promenades, que composaient jusqu'alors les axes normand et champenois, ainsi que le voyage de Loire. Elle se transporte pour quelques saisons dans les pays d'oc (provençaux, languedociens, aquitains) que « menace » à des degrés divers la pénétration protestante. La Cour s'efforce d'appréhender physiquement le royaume ; elle l'envisage *a priori* au vu de quelques cartes encore bien primitives, sous la forme d'un losange ou d'un carré (car l'hexagone comme tel est encore à naître). D'aucuns savent même qu'y subsistent pour le moins seize millions de personnes (en réalité, près d'une vingtaine de millions, du moins dans le cadre anachronique des frontières françaises d'aujourd'hui).

Paradoxalement, ce « carré » français en cours de visite, fait l'objet, au gré des textes de l'époque, d'une « virevolte » ; c'est une « ronde », une tournée tenue pour circulaire, en vertu de quoi Catherine et Charles « marquent » le territoire national, et jalonnent par leur venue les frontières sensibles de l'État : elles jouxtent Lorraine, Savoie, Espagne... La Cour en voyage est une grande cité sans racines : démographiquement, elle a déjà les dimensions qu'elle conservera aux siècles suivants. Quinze mille chevaux, dix à quinze mille individus (dont les trois quarts sont mâles) emportent avec eux les divertissements d'une classe de loisir en voyage, ainsi qu'une considérable exigence de ravitaillement... et les épidémies (dont la peste, au long de la vallée du Rhône).

Les stratégies de l'État, fixe ou mobile, ont peu varié. Certes, le temps n'est plus où Catherine et les siens, par sincérité ou par jeu, affichaient des sympathies pro-huguenotes (c'était le cas en 1561). Le fléau de la balance, dans les sommets du pouvoir, penche maintenant vers le catholicisme, mais la politique gouvernementale vise toujours à rendre possible un minimum de coexistence entre les factions religieuses, dans l'esprit de l'édit d'Amboise (mars 1563). Marquant le retour (provisoire) à la paix, cet acte officiel autorisait en principe le culte huguenot chez les seigneurs haut-justiciers qui en manifestaient le désir, et dans une seule ville par bailliage. Il s'agit aussi pour les gens en place de naviguer entre les grandes coalitions princières ou seigneuriales : celle des Guise, puissants dans l'Est ; celle des Bourbons (calvinophiles) influents en Picardie, Normandie et dans le Sud-

Ouest ; celle des Montmorency, retranchés en Languedoc, mais aussi au cœur du vieux domaine capétien, entre Orléans et Soissons. La reine mère a su (pour l'instant) se débarrasser des extrêmes : elle a éloigné du Conseil, au début de 1564, les Guise, intégristes ; et les Châtillon-Coligny, huguenots. Elle n'en est, tout bien réfléchi, que plus isolée, par contraste avec Henri II qui faisait cohabiter chez lui les factions adverses et les utilisait à son profit, ou bien l'une contre l'autre. Logé au centre droit, le parti « catheriniste », inexpugnable du pouvoir, s'aide de prélats et de robins modérés (L'Hospital, les évêques Monluc et Morvilliers, lui-même fils de procureur). Ce parti dominant se renforce, tant bien que mal, de grands seigneurs restés ou redevenus centristes (le cardinal de Bourbon, Montmorency). Les combinaisons qui s'échafaudent de la sorte donnent de plus en plus d'importance à l'appareil déjà crypto-ministériel des secrétaires d'État (Laubespine, les deux Robertet), entièrement officialisés depuis Henri II ; le quadrige secrétarial-étatique cesse de se satisfaire des positions subordonnées et de pure exécution qui, au cours de la décennie antérieure aux guerres civiles, semblaient encore être les siennes.

Le gouvernement gyrovague est fort d'une semi-unité vaguement retrouvée : mais il est faible, car isolé entre le marteau guisard et l'enclume huguenote. Il délègue les maréchaux de France et quelques commissaires en diverses provinces, pour faire régner la justice et pour désamorcer les conflits entre confessions rivales ; les peuples s'arrangent de tout cela tant bien que mal en attendant que surgisse, au détour d'une étape du voyage, la présence corporelle et thérapeutique du roi lui-même. En ce premier tiers du règne, Charles IX, avec des moyens matériels misérables et des moyens symboliques considérables, se débrouille à peu près pour maintenir une paix précaire dans son royaume. L'ambivalence pourtant demeure de règle. On pacifie, certes. L'État, pourvu d'insuffisants moyens, voudrait se dresser au-dessus des factions puissantes, agressivement motivées. Mais simultanément, la tentation existe, d'en finir une fois pour toutes avec l'agitation protestante, initiatrice des premiers troubles. Pourquoi ne pas tuer quelques dirigeants au sommet, afin d'éviter un massacre à la base : dix mille grenouilles ne valent pas la tête d'un saumon, dit-on à l'époque. Le saumon c'est Coligny bien sûr, mais le calcul se révélera erroné : à la Saint-Barthélemy, une fois lancé, on tuera sans faire le détail.

Quelles que soient les perspectives, déjà proches, du futur massacre[2], on se trouve encore, avec Charles IX, et pour longtemps, dans une situation « pré-copernicienne ». Le soleil tourne toujours autour de la terre : le roi virevolte sur les rebords de son royaume, afin de se faire honorer, respecter, si possible obéir par les sujets. Son effigie revêt successivement, à l'occasion de dizaines d'entrées urbaines, et aux termes des images qui l'accueillent ou l'accompagnent, les figures bibliques de David abattant Goliath, de Salomon, de Josias contre l'idole Baal, de Josaphat combattant les Moabites. Les catholiques ne sont pas mécontents de ces comparaisons ; les protestants férus de Bible, en font eux aussi leurs délices. Sautant de l'Ancien Testament au Nouveau, et du chef israélite au roi très chrétien, Charles tout au long de la route touche des milliers d'écrouelles. Il exprime de la sorte un charisme qui ne laisse indifférents ni le menu peuple ni l'élite. Il fait savoir *urbi et orbi* qu'il gouverne « par piété et par justice », l'une engendrant

l'autre. Non content des traditions judéo-chrétiennes, il appelle à sa res-
cousse (ou du moins la « publicité » s'en charge pour lui) les héros de la
mythologie grecque : le voilà devenu, sur l'iconographie des joyeuses entrées, Persée délivrant Andromède, Thésée exterminant le Minotaure, Hercule tuant Cerbère.

L'histoire romaine le présente sous les traits des bons empereurs qui surent
terminer ou empêcher la guerre civile : Auguste, Antonin le Pieux, Trajan,
Alexandre Sévère. Par ailleurs, on tâche de rompre une bonne fois pour
toutes avec les structures impériales, car le danger Habsbourg n'est nullement exorcisé : Charles sera donc à l'occasion un roi gaulois de fantaisie,
baptisé Parisius ou Lugdunus ; voire Hercule gaulois, vigoureux et humaniste. L'histoire de France évoque à son intention Clovis bien sûr (à cause
du baptême), Charles Martel et Charlemagne (contre les Sarrasins et les
Saxons idolâtres), saint Louis... et même Raimond de Toulouse qui partait
pour la croisade.

Ces redondances métaphoriques suppléent de leur mieux au défaut des forces militaires dont souffre toujours la monarchie. Charles procède également
par ordonnances qui indiquent la direction logique et future du pouvoir, à défaut d'être réellement applicables dans l'immédiat : il enjoint la
résidence aux gouverneurs comme aux évêques, et récupère la levée des
tailles ; il prétend s'arroger dans les villes la désignation des magistrats
municipaux. Le mode de gouvernement par grands voyages, enrubannés de
propagande symbolique et d'ordonnances, durera jusqu'au début des années
1660. Ce sera enfin la révolution copernicienne : le Roi-Soleil se placera en
toute gloire et quiétude au centre de son État. Les mutations d'orbites
seront totales : il appartiendra désormais aux courtisans et même aux sujets
de tournoyer autour de Sa Majesté, mais non l'inverse...

LE POINT DE NON-RETOUR

* Le *tercio* est le noyau dur de l'armée d'Espagne, formant le tiers de celle-ci, et composé d'Espagnols, non de mercenaires étrangers.

** Fernando Alvarez de Tolède, duc d'Albe (mort en 1582), grand homme de guerre espagnol, demeurera tristement célèbre pour la dure répression qu'il a déployée contre le protestantisme et l'indépendantisme aux Pays-Bas.

On n'en est pas là. En septembre 1567, la paix précaire qui durait depuis quatre ans s'évanouit en fumée. Dès 1566, les huguenots (qui de leur côté ne s'avéraient pas toujours exempts de blâme), étaient victimes de sanglantes attaques à Pamiers. Ils en conservent rancune aux catholiques. Surtout, ils craignent la menace des troupes espagnoles, les fameux *tercios** ; elles marchent au long des frontières du Nord et de l'Est sous la direction du duc d'Albe** ; elles sont destinées, en zone flamande, à réprimer la révolte calviniste, indépendantiste, iconoclaste. Mais elles pourraient bien régler leur compte, en outre, aux calvinistes du royaume. Les protestants de France ont peur également des troupes suisses à la solde de Charles IX. En principe, elles doivent surveiller ou « marquer » les soldats de Madrid ; elles sont néanmoins susceptibles, le cas échéant, de basculer à leur tour contre l'« hérésie ». Pour l'automne 1567, les chefs réformés, Coligny et Condé, décident une action, préventive à leurs yeux, agressive au gré de leurs ennemis. Non loin de Meaux, ils entreprennent de capturer la reine mère et le jeune roi, avec l'habituel espoir de confisquer ainsi la légitimité monarchique. Vieille idée, nouvel échec. L'affaire de Meaux fait long feu, mais provoque la reprise des hostilités, brève et rude. Fort du réseau des villes et noblesses ralliées, fort aussi des amitiés protestantes d'Allemagne, le parti huguenot, car désormais c'en est un, réussit l'exploit de lever 30 000 combattants, qui français, qui reîtres germaniques. Ceux-ci comme ceux-là s'opposent à l'establishment et à la force catholiques. L'un et l'autre incluent (outre l'armée régulière ou ce qui en tient lieu), les Guise, et même Catherine. Furieuse du coup de Meaux, elle est bien revenue des velléités protestantes qu'elle nourrissait en 1561. Les huguenots s'opposent aussi à des personnages importants qui se recrutent dans la minorité catholique du lignage Bourbon (comme Montpensier), et dans la clientèle des Montmorency (Cossé, par exemple).

La seconde guerre de Religion (septembre 1567-mars 1568) s'accompagne de la mise en avant d'un nouveau programme : les princes réformés demandent impérativement que se réunissent les États Généraux, comme prélude à une royauté plus « contrôlée », dans le style des « monarchomaques » de la décennie suivante. La revendication politique se marie de la sorte aux demandes religieuses. De tels souhaits sont de grande portée. Et l'on voit éclore, dans les années 1570, ce qui deviendra bientôt le territoire semi-protestant des Provinces Unies du Midi. On assiste aussi à la fin d'une (courte) époque : pour la dernière fois, en effet, le Bassin parisien (du Val de Loire aux frontières de l'Est en passant par l'Ile-de-France), constitue encore pour la huguenoterie un enjeu stratégique et géographique. Plus tard, au cours des guerres suivantes, le protestantisme devra se replier sur ses bases méridionales : désormais, il ne pourra revenir en force dans la France du Nord qu'à condition d'être épaulé par les gros bataillons des catholiques modérés ou « royalistes ». A lui seul, il ne fera plus le poids. Car depuis 1562, année charnière, la résistible ascension des croyances huguenotes connaît un freinage. Le raz de marée des conversions s'est atténué. On est entré, certes, en phase de consolidation, de structuration interne du parti ; mais ce n'est plus la période d'essor fou des « adhésions », qui avaient afflué à la fin des années 1550 et au début des années 1560.

En termes événementiels, au cours de la seconde guerre civile, la défaite militaire des huguenots à Saint-Denis (1567) manifeste leur incapacité à s'assurer le contrôle de la capitale, même si, maigre consolation, leur vieil ennemi-ami le connétable de Montmorency est tué dans les rangs des troupes de Charles IX. De toute manière les deux camps n'ont bientôt plus d'argent pour payer leurs armées, surtout quand elles sont mercenaires. Façon de dire que la France, et pas seulement la trésorerie des uns et des autres, est ruinée par ces guerres ravageuses. La paix, qui n'est qu'une trêve, est signée à Longjumeau, en 1568. Elle rétablit les conditions d'une semi-tolérance pour l'hérésie, et d'une coexistence vaguement pacifique entre les croyants des deux bords, toutes griffes dehors si besoin est.

La troisième guerre de Religion (août 1568-août 1570) n'est pas séparée de la seconde, on s'en serait douté, par une muraille de Chine. Entre la paix (fourrée d'arrière-pensées) de Longjumeau (1568) et le début des nouvelles hostilités, les brimades anti-huguenotes ne cessent pas, malgré les velléités tolérantes qui émanent de l'État monarchique : ou bien dans certains cas moins heureux, il y a complicité pure et simple de celui-ci avec les agresseurs catholiques. Les réformés rendent à ceux-ci la pareille lors du massacre effectué aux dépens des catholiques de Nîmes[1], à l'automne de 1567 : cette meurtrière « Michelade » est une petite Saint-Barthélemy avant la lettre, en sens inverse de la grande. En 1568, les chefs huguenots, Condé et Coligny, quittent leurs châteaux de Bourgogne, car ils craignent Tavannes, ultra-catholique et gouverneur de la province. Ils se mettent en route pour un exode vers La Rochelle, escortés d'une foule grossissante de parents, amis et fidèles. Leur traversée de la Loire, sur un gué dit-on miraculeux, évoque celle de la mer Rouge par les Hébreux, qui fuyaient l'Égypte et les persécutions pharaoniques. Les références à la Bible soutiennent le moral de la troupe, cependant que les catholiques appellent à leur propre secours l'Ange exterminateur dont parlait l'Apocalypse. Face aux deux chefs huguenots qu'assisteront sous peu Condé junior et Henri de Navarre, se dresse toujours le cardinal de Lorraine, bientôt flanqué du jeune duc de Guise. Catherine remâche des rancunes antiprotestantes qui, depuis le coup raté de Meaux, sont de plus en plus vives. (A son habitude, elle persiste pourtant à ne pas exclure un compromis final après combat.) Outre Charles IX, elle peut compter sur son fils cadet, duc d'Anjou, futur Henri III, qui n'est pas dénué de courage militaire, à défaut d'avoir de grandes capacités stratégiques. Le feu des affrontements sanglants se déplace vers le Sud-Ouest, tant le Bassin parisien où le catholicisme a su, à force de rajeunissement, contraindre l'hérésie, la réprimer, l'expulser, est désormais vacciné contre les entreprises spécifiquement huguenotes. En bataille rangée (Jarnac au 13 mars 1569, Moncontour au 3 octobre 1569) Coligny et Condé ont le dessous ; le second y laisse la vie, son cadavre étant ignominieusement promené à dos

Page suivante gauche, en haut. Un Calvin plutôt juvénile. Il apparaît ici comme assez déterminé déjà, sur la voie de l'inflexible rigidité qui, à tort ou à raison, semble émaner des portraits ultérieurs...

Peinture anonyme, Calvin, *Genève, Bibliothèque publique et universitaire.*

*Page suivante gauche, en bas. Né en 1496 à Cahors, l'écrivain Clément Marot, fils d'un poète de cour, fut valet de chambre de l'érasmienne Marguerite d'Angoulême, sœur de François Ier ; puis il devint serviteur du monarque en personne. Tenté par l'évangélisme, voire par l'hérésie, il s'enfuit en Italie chez l'évangélique duchesse de Ferrare, fille de Louis XII. Ensuite, « abjurant ses erreurs », il revient à la Cour ; suspect de nouveau, il meurt en Savoie en 1544. Satiriste, hostile à l'appareil judiciaire, il renouvelle les genres poétiques (élégie, églogue, épître, épithalame, sonnet) et traduit les Psaumes en français à l'usage des Églises réformées. Marot a trouvé un portraitiste digne de son grand talent littéraire en la personne de Corneille de Lyon.
Né en Hollande, Corneille a subi peut-être, en tant que jeune artiste, certaines influences anversoises. Vers 1530, il se rend à la Cour de France pour y peindre François Ier ainsi que la seconde épouse de celui-ci, Éléonore. En 1540, il est peintre du dauphin Henri, puis, devenu Lyonnais, on l'intitule peintre du roi. « Loin des entreprises grandioses de la Cour de Fontainebleau, et quelque peu snobé par la haute bourgeoisie de Lyon, il se rattache à une communauté décentralisée et ouverte de petits patrons, et de menus ateliers, en relation avec le monde du textile, de l'orfèvrerie, de la piété populaire et des fêtes civiles. » Protestant au milieu du XVIe siècle, Corneille se reconvertit au catholicisme en 1569 et meurt en 1575. Le double destin de Marot et de Corneille, du modèle et du peintre, évoque assez bien le devenir d'une culture française qui passe d'abord du papisme à la huguenoterie, puis vers 1570, date large, retourne à l'Église établie : celle-ci, sûre de sa force et dominatrice, s'avère d'autre part plus généreuse de sensibilité picturale que ne l'est le protestantisme « iconoclaste » (D'après Anthony Blunt et Nathalie Davis).*

Corneille de Lyon, Clément Marot, *Paris, musée du Louvre.*

Pages suivantes. Toute une école de (bons) historiens actuels (N. Davis, J. Garrisson) tend à souligner les atrocités d'origine catholique pendant les guerres de Religion et à minorer les assassinats commis au nom du parti protestant, celui-ci plus vandale que réellement meurtrier. On admettra néanmoins que l'opportuniste baron des Adrets, mort septuagénaire en 1587, sut se rendre coupable, pendant sa phase « réformée », de nombreux sévices fort sanglants, du reste réprouvés par Calvin lui-même.

Sac de Lyon par les troupes du baron des Adrets en 1562, *peinture datant de la fin du XVIᵉ siècle, Lyon, musée de Gadagne.*

d'ânesse par les royaux, en une série de rites carnavalesques auxquels accepte de se prêter Henri d'Anjou et qui seront souvent usités pendant les guerres civiles. L'amiral de Coligny, médiocre tacticien du combat rapproché mais bon stratège pour les temps difficiles, entreprend de refaire les forces de son armée dans un Midi qui s'est voulu sympathisant du calvinisme. Au cours d'une « longue marche » (1569-1570), l'amiral descend vers la vallée de la Garonne, où pullulent les communautés huguenotes (Clairac, Tonneins, Agen...). Sans scrupules, il s'en prend aux biens et quelquefois aux vies des catholiques. Il s'appuie sur les républiques calvinistes qui se forment localement à Nîmes et à Montpellier, autour des élites converties. A partir de cette « nouvelle donne » géographique, le protestantisme français a pris, en effet, une forme définitive. En son extrême Nord, il est arc-bouté sur La Rochelle, dont les corsaires écument l'océan demeuré catholique ; arc-bouté aussi au Midi, sur la Guyenne et le Languedoc ; sur le Dauphiné enfin, à l'Est. Coligny, qui a renforcé sa troupe en val de Garonne et en Languedoc, peut ensuite boucler la boucle et remonter vers le Nord au long du Rhône ; il débouche sur la Bourgogne qu'il avait quittée deux ans plus tôt. Les confréries bourguignonnes du Saint-Esprit, ardemment catholiques, infusées d'un sang neuf, galvanisent la résistance locale à l'« hérésie » ; les adversaires, une fois encore, huguenots et papistes, sont épuisés d'argent, n'ayant plus de quoi payer leurs hommes, reîtres ou soldats réguliers. Dans ces conditions, la paix boiteuse et mal assise de Saint-Germain (août 1570) va remettre les horloges à l'heure habituelle d'une cote mal taillée récurrente : liberté de conscience (théorique) dans le royaume ; places de culte et places de sûreté pour les huguenots ; relative égalité des droits entre confessions rivales. L'élite dirigeante est de ce fait réunifiée, cahin-caha ; Coligny va pouvoir s'y loger derechef et brièvement. Elle coagule autour des fils de Catherine, et des membres survivants des lignages Bourbon, Guise, Montmorency ; autour des nouveaux robins aussi (Laubespine, Villeroy, l'Italien Birague). Les uns et les autres, à eux tous, forment le noyau ou l'environnement du Conseil d'en haut. Une aile modérée qu'on appellera bientôt « politique » apparaît chez les catholiques : l'œuvre et la pensée de Montaigne s'esquissent déjà en filigrane, par-delà cette entreprise de conciliation. Le guerrier Monluc, si antiprotestant, se place, lui, sur les positions dures : il constate que les armes favorisent la religion établie, mais que les « diables d'écritures », bref les paperasseries des plumitifs ou signataires d'armistices, donnent une chance à la cohabitation semi-pacifiante avec les huguenots. Il considère celle-ci comme déplorable et dangereuse pour la vraie foi. Un groupe de jeunes princes, Guise, Navarre, Condé, Anjou, Alençon, tous alliés ou cousins, et qui furent élevés ensemble dans l'entourage de Catherine, se prépare aux luttes intestines, quitte à se raccommoder de temps à autre pour mieux s'ensanglanter ensuite. Tous périront de mort violente, ou précoce.

P assé l'acte de Saint-Germain (août 1570), la logique ou plutôt la géopolitique de l'État français reprend ses droits. Il n'est pas question en effet, sauf pour les Guise et leurs alliés parisiens très engagés, de soumettre le royaume à l'impérialisme ultra-catholique d'un Philippe II : comme dans d'autres périodes de détente, ou même de dégel, qui jalonnent l'histoire de la monarchie, on laisse donc un peu de bride sur le cou, dès 1570, aux huguenots. Ils vont jouir momentanément de certains espaces de liberté, si restreinte soit-elle. Les gouver-

ALVINI QVOD FVRTO ET SANGVINE CONSTET
ATA LVGDVNI PICTA RVINA DOCET

VINVS IVRA REVELLIT
TALIS IMAGO FVIT

Il adhère affectueusement, s'agissant d'une grande politique flamande, aux desseins de Coligny, qu'il appelle « mon père ». Les intrigues de Cour, entre une mère éprise du Pouvoir, et un fils désireux d'émancipation, croisent ainsi les impératifs de la stratégie d'État, soucieuse (ou non) de finalités pro-néerlandaises et hispanophobes.

D'où le contre-projet assez parfaitement conçu par Catherine, projet si bien mitonné qu'en faisant long feu, très long feu, il va se retourner contre son inspiratrice, et déclencher de formidables « effets pervers ». Dès juillet 1572, la reine mère pense en effet à faire tuer Coligny par un assassin aux ordres de Guise. Le complot est à multiple effet : il s'agit, incidemment, de « mouiller » les Guise, par la continuation d'une vendetta qui depuis longtemps les oppose aux Châtillon-Coligny (l'amiral était en effet accusé d'avoir appris avec plaisir l'assassinat du précédent duc de Guise par la main de Poltrot de Méré*). Il s'agit surtout pour la reine mère de « récupérer » Charles IX que l'attentat débarrassera enfin, bon gré, mal gré, du Mentor trop aimé qu'est devenu pour lui Coligny. Ainsi le jeune roi pourra-t-il retomber sous l'exclusive influence de sa mère. Celle-ci aura fait coup double ou triple, puisqu'elle sera enfin délivrée des Guise (marginalisés par le meurtre dont ils seront tenus pour responsables), et délivrée aussi des Châtillon-Coligny, « liquidés » en la personne de leur chef de famille. Le mariage de la catholique Marguerite de Valois et du calviniste Henri de Navarre, lui-même judicieusement minorisé par le décès de ce tuteur *de facto* qu'était pour lui l'amiral, et promis de toute manière à une prompte conversion catholique, pourra donc donner tous ses fruits en termes de concorde nationale, sous les auspices de Catherine, érigée en réconciliatrice des factions.

L'opération, pour être contestable, comporte néanmoins des précédents. La tentative de meurtre politique de 1572 n'est ni la première, ni la dernière de son espèce. Encore convenait-il, dans sa propre perspective, qu'elle réussît ; ce ne fut point le cas. Le 22 août 1572 (cinq jours après le somptueux mariage de Navarre et de Marguerite), Maurevert, client des Guise et homme de main, rate la cible. Son arquebuse blesse Coligny, qui n'en meurt pas. Le soupçon (huguenot) se porte immédiatement sur les Lorrains puis, sans tarder, sur la reine mère.

Au départ — les témoins les plus sûrs le souligneront —, rien n'est moins prémédité par conséquent que ce qui va devenir, sous peu, le massacre de la Saint-Barthélemy, même si les prémisses, depuis longtemps, sont « dans l'air ». Mais, l'événement échappera de plus en plus aux principaux acteurs. Une série de déclics et de gâchettes vont s'enclencher les uns les autres jusqu'au bain de sang général. On ne plaidera pas pour autant l'irresponsabilité de tous et de chacun : les structures mentales de l'époque étaient effectivement « coupables » et porteuses des virtualités d'un pogrom.

Reprenons le fil des faits : après l'échec de Maurevert, Catherine se sent menacée. Elle prend langue à diverses reprises, dans la soirée du 23 août, avec ceux que l'habitude ou la circonstance ont rapprochés d'elle : ce sont les Italiens (Birague, Nevers, Gondi-Retz) ; et puis Angoulême (bâtard d'Henri II), Tavannes, Anjou bien sûr, et même sur le tard les Guise.

Une certaine « montée aux extrêmes » s'impose : afin de sauver les coupables (Catherine, Anjou, les Guise), il convient de tuer non plus un, mais des

A droite. La bataille indécise de Saint-Denis mit aux prises en novembre 1567 les huguenots de Condé et Coligny, et d'autre part les royaux et mercenaires suisses (ceux-ci fort bien pourvus d'armes lourdes, comme on voit) aux ordres du vieux connétable Anne de Montmorency, qui fut incidemment tué dans l'action. Sa mort permit à Catherine et à Charles IX d'élever le duc d'Anjou (futur Henri III) à la charge de lieutenant général du royaume, cependant que la connétablie restait vacante jusqu'en 1594, date à laquelle Henri IV l'octroyait enfin à Montmorency-Damville, fils alors sexagénaire du défunt Anne.

Détail d'une tapisserie du XVIe siècle, Écouen, musée national de la Renaissance.

* François de Guise, l'un des plus grands stratèges du XVIe siècle, fut assassiné en février 1563 (tandis qu'il assiégeait Orléans) par le protestant Poltrot de Méré.

parmi les populations baroques de la Méditerranée latine (Italie, Espagne), et aussi dans le Midi français : cette vaste région va fonctionner en l'occurrence, une fois de plus, comme durable conservatoire des modes par ailleurs éphémères d'une certaine époque : pénitents et protestants, en tant que frères ennemis, vont s'enraciner pour longtemps dans notre Sud, alors que le Nord, autoritaire et centraliste, les aura expulsés ou effacés en grosse partie depuis belle lurette. Telle est la fonction muséographique de longue durée des périphéries culturelles, méridionales en l'occurrence.

La piété d'Henri n'est pas simplement foi sincère et même agissante. Elle fournit aussi, dans des provinces qui, en majorité, voire en leur essence, restent catholiques, un moyen de gouvernement. Certes les ligueurs feront profession de mépriser ou de moquer les techniques de la dévotion professée par le monarque. Ils n'empêcheront point qu'Henri III mérite la titulature capitale de roi très chrétien, constitutive de légitimité, si ébréchée soit-elle. Henri IV saura s'en parer à son tour, après quelques passages mouvementés d'une croyance à l'autre et réciproquement.

Pieux, Henri III se veut, de façon logique, renonçant et retraitant. A diverses reprises, il abandonne pendant quelques jours les pompes de la hiérarchie laïque et mondaine ; il se réfugie alors dans un couvent ou dans un défilé religieux, afin d'expier par ses macérations les malheurs et péchés de la France (ou les siens propres). L'un des intimes du roi, Henri de Bouchage, comte de Joyeuse, quitte la Cour pour se faire capucin. Il n'est pas seul à donner cet exemple. Il y a donc là, au niveau de la plus haute société française, comme une constante : on en retrouvera les manifestations dans le comportement d'un Rancé, reclus sur le tard à la Trappe ; ou bien d'un duc de Bourgogne, petit-fils de Louis XIV, confit en ascétisme secret au sein des carnavalesques mondanités de Versailles.

La religion d'Henri III et de ses amis est extra-mondaine par renoncement. Elle est, d'autre part, efficacement et résolument intra-mondaine, par le biais de l'Ordre du Saint-Esprit fondé en 1578. L'ordre est dévoué à la troisième personne de la Trinité ainsi qu'à la passion christique ; il se recrute dans l'aristocratie la plus haute ; il est lié au bon renom de la justice et des officiers. Fondamentalement catholique, l'ordre permet au roi, en principe, de regrouper autour de sa personne l'escouade des compagnons fidèles : ils ne trempent ni dans les « erreurs » calvinistes ni dans les excès des ligueurs. La fortune de cette création sera considérable, et digne de la Toison d'Or espagnole, comme de la Jarretière britannique : le cordon bleu du Saint-Esprit demeurera fort recherché jusqu'à la Révolution française, et la Légion d'honneur, à partir de 1802, en deviendra l'équivalent laïcisé.

Dans un ordre d'idées différent, la petite académie qui se réunit autour du roi à la fin de la décennie 1580 regroupe, outre Sa Majesté, quelques bons esprits, parmi les plus distingués de l'époque : des hommes comme Pibrac, Baïf, Pontus de Tyard*, Ronsard ; et aussi des dames (la Lignerolles, la maréchale de Retz), annonciatrices déjà d'une préciosité quasi féministe qu'on verra se déployer au siècle suivant. On combat (plus ou moins) dans ce cercle académique l'astrologie, en quoi Henri rompt décidément avec les superstitions de Catherine, sa mère par ailleurs chérie ; on y fait l'éloge méditatif des principes moraux, à l'usage des peuples et des princes.

C'est au cœur de sa propre vie, inséparablement publique et privée, que s'est nouée pour l'essentiel la tragédie d'Henri III, qui dépasse de beaucoup

Le château de Tanlay, aux décors intérieurs duquel appartient la fresque ici reproduite, fut la propriété des Courtenay, de sang royal capétien, et passa en 1535 à la veuve de Gaspard de Coligny, maréchal de France. Ses trois fils, le cardinal de Châtillon, l'amiral de Coligny et François d'Andelot furent « grands leaders » du parti protestant. D'Andelot, puis son gendre Jacques Chabot, marquis de Mirebeau ont reconstruit une première fois l'ancien château féodal ; on leur doit la Tour dite (à tort) de la Ligue, ainsi que la fresque qui décore la voûte de celle-ci. Selon une première interprétation (Connaissance des arts, septembre 1956), le Janus demi-barbu du centre serait le roi et/ou la reine de France flanqué(s) de part et d'autre par des chefs protestants et catholiques. Marguerite Christol avec davantage de vraisemblance (?) rattache la scène de façon extrêmement précise aux développements successifs d'un poème de Ronsard, ami des Coligny. Le personnage médian serait donc mi-partie Henri II et Jupiter, Mercure serait le cardinal de Lorraine ; Mars, le connétable de Montmorency ; Neptune, l'amiral de Coligny ; Junon, Catherine de Médicis ; Vénus, Diane de Poitiers, etc. Il s'agirait d'une représentation allégorique (incomplètement reproduite ici) de la Cour de France, avec ses chefs de file, le thème des conflits de religion n'apparaissant encore qu'en filigrane.

La fresque, œuvre du Primatice ou d'un de ses élèves, se rattache en tout cas à l'école picturale de Fontainebleau. (D'après Abel More, Jardin des Arts, décembre 1966).

Détail d'une fresque, tour de la Ligue, château de Tanlay (Yonne).

* Guy du Faur, seigneur de Pibrac (1529-1584) fut magistrat, conseiller d'État et poète ; Jean-Antoine de Baïf (1532-1589) poète, fut le protégé de Charles IX et d'Henri III ; Pontus de Tyard (1521-1605) fut poète et prélat.

les problèmes de sa propre personne : aimant (et goûtant) les femmes, capable d'attachement et de passades, Henri a contracté en 1575 de raisonnables noces d'inclination avec une modeste princesse lorraine, non dénuée de charme, Louise de Vaudémont. Marié, le roi, l'âge venant, se rangera de plus en plus aux normes strictement chrétiennes d'une affectueuse fidélité conjugale. Mais Henri et Louise n'engendrent pas de progéniture, malgré quelque espoir vite avorté. La succession royale, en bonne loi salique, ne peut donc aller qu'à ces Capétiens très lointains et pourtant authentiques que sont les Bourbons ; plus précisément à Henri de Navarre, huguenot comme ses cousins Bourbon-Condé. D'où les déchirements d'Henri III, tiré à hue et à dia, entre l'exigence de la légalité successorale, et l'impératif d'un catholicisme dévot.

Fait remarquable, ce pieux monarque fait néanmoins passer celui-ci après celle-là. Bien sûr il a conseillé à Navarre de se convertir au catholicisme, seule solution raisonnable. On comprend en tout cas que pris dans ces contradictions apparemment insolubles, Henri ait été atteint de-ci de-là, autre trait de modernité, par des accès de dépression que les polémistes des deux extrêmes feront passer, sans aucun fondement, pour folie pure et simple.

Reste un dernier point qu'il faut mettre à l'actif d'Henri III — comme du reste à l'actif de sa mère Catherine malgré des hauts et des bas en ce qui concerne celle-ci : je veux dire l'acquisition graduelle d'un certain esprit de tolérance, bien entendu toute relative, on n'est malgré tout qu'au XVIe siècle ! Henri vu sous cet angle, a rapidement évolué, grandi, mûri : duc d'Anjou, godelureau ultra-catholique de vingt et un ans, il contribuait à déclencher en 1572 les premiers meurtres nocturnes de la Saint-Barthélemy, catalyseurs des grands massacres perpétrés par la ville quelques heures plus tard ; or il s'est transformé au bout de cinq ou six années en un roi plus réfléchi.

Les événements certes, se sont chargés de le mûrir, mais on portera à son crédit le fait qu'il ait su assimiler leurs pénibles leçons. Au nombre desdits événements, citons un séjour d'Henri, comme roi de courte durée dans la Pologne multiconfessionnelle (1573-1574). Et puis, en France même, il faut bien constater, à l'actif des arguments qui justifient la coexistence religieuse, que trois nouvelles guerres de Religion sont ou seront uniformément conclues par des paix imparfaites qui *toutes* laissent un certain espace de survie et de latitude aux Églises protestantes, décidément indestructibles.

Les guerres en question, dans l'ordre canonique de leur numérotation, sont respectivement la quatrième guerre, close par l'édit de Boulogne en juillet 1573 ; la cinquième guerre, achevée en mai 1576 par la paix de Monsieur, celle-ci très douce aux huguenots, trop favorable pour eux, du reste, au gré d'Henri III ; la sixième guerre enfin, conclue par l'édit de Poitiers en 1577. Force est donc à Henri de constater dans la longue durée, comme il dit, « que les gens des trois États ne vont que d'une fesse à l'unité de religion » ; ils sont toujours prêts à proférer de grandes clameurs contre le protestantisme ; ils se révèlent beaucoup moins farauds dès lors qu'ils doivent y aller de leur poche et payer les impôts supplémentaires, destinés à financer l'armée puissante qui, par hypothèse, ferait enfin litière de la huguenoterie.

Vite blasé, Henri tire de cet attentisme, dès 1577, les conclusions pour le moins semi-pacifistes qui s'imposent. Au surplus, en matière de religion, il est fervent et même dévot, mais pas fanatique.

Comment travaille Henri III ? En compagnie de quel entourage ? Le lien du monarque avec sa mère, Catherine, demeure fort ; mais les différences sont nettes par rapport à l'époque de Charles IX, quand la Médicis, littéralement, guidait les volontés d'un jeune roi souvent désemparé. Vis-à-vis d'Henri, elle n'a plus que le rang prestigieux d'une conseillère de tout premier rang, aimante, aimée, privilégiée, néanmoins subordonnée. Un accord profond unit le fils et la mère, traversé çà et là de divergences momentanées, inévitables ; au gré de celles-ci la génitrice est tantôt plus modérée, tantôt (et surtout) plus guisarde ou crypto-guisarde, que ce n'est le cas pour le souverain. Celui-ci, par ailleurs, n'aurait qu'à se louer de son épouse, la discrète Louise de Vaudémont, n'était l'énorme problème de la stérilité du ménage royal. Née princesse lorraine, Louise aurait pu rapprocher Henri, qui l'affectionnait, de ces autres Lorrains, à elle apparentés, qu'étaient les Guise. Mais l'antagonisme idéologique, religieux, politique et militaire, qui séparait ceux-ci des Valois était tel que nulle main féminine, fût-elle tendre et alliée, n'était capable de recoudre ce que la Ligue allait définitivement déchirer.

Reste enfin la difficile question de l'ultime frère d'Henri III, François-Hercule, duc d'Alençon, devenu ensuite, à son tour, duc d'Anjou. Les divisions factionnelles naissent souvent des contradictions de la fraternité royale ; François-Hercule n'excepte pas la règle.

Intrigant, mais maladroit, il soutient généralement le parti des « politiques », groupé autour de Montmorency-Damville, et qui rassemble, surtout dans la France du Sud, le catholicisme modéré et la huguenoterie. Les historiens seront souvent sévères pour François-Hercule, qui en effet était homme perfide, de faible séduction et d'assez peu d'esprit. Doit-on pourtant lui faire grief d'avoir pressenti, judicieusement, la pertinence de cette union modérantiste (« papistes non ligueurs » et protestants) dont les forces déployées assureront un jour la brève survie politique d'Henri III et plus encore le triomphe final d'Henri IV ? François-Hercule était probablement beaucoup moins bête que ne l'ont prétendu ses contemporains et ses biographes occasionnels.

Par-delà le minuscule cercle familial, Henri III décidément a des difficultés « d'entourage ». Son grand-père François Ier et surtout son père Henri II, autrement dit les Valois d'avant-guerre, surent démêler à peu près l'écheveau serré et vipérin des puissantes familles : Guise, Montmorency, Bourbon. Cette trinité impérialiste, pourvue de solides connexions capétiennes, tâchait, en un lotissement profitable, de partager entre soi le « gâteau » du pouvoir étatique. Mais depuis 1560, les batailles religieuses accentuent d'inexpiables conflits entre ces clans. Les Guise fleurissent dans l'intégrisme catholique ; les principaux Bourbons sont en mouvance protestante ; les Montmorency gisent dans l'entre-deux... Henri III risque de rester seul. Il lui faut, dans un environnement hostile, bâtir sa propre faction. C'est à quoi il va s'employer parmi les nobles d'épée et du côté des robins, que ceux-ci soient roturiers ou nobles récents.

Nobles d'épée, d'abord : ce sont les mignons. Les fables, n'y revenons plus, sont maintenant à peu près dissipées, de leur lien homosexuel* avec Henri, qu'ont entretenues avec complaisance les polémiques huguenote et ligueuse, toutes deux ennemies de ce juste milieu qu'incarne graduellement le souverain à partir de 1577. Effectivement aimés et comblés de cadeaux somptueux par le monarque, en tout bien tout honneur, les mignons for-

* En réalité, l'insistance nouvelle avec laquelle la polémique de ce temps, à partir de 1576, envisage (de façon hostile) les faits d'homosexualité et surtout de pseudo-homosexualité dans l'entourage royal, cette insistance-là nous importe beaucoup moins au plan de la réalité factuelle qu'au niveau des changements dans la culture : une poussée féministe se fait en effet sentir parmi les commensaux intellectuels du roi et parmi leurs compagnes (voir *supra*, p. 256). Or, simultanément, l'homosexualité, autrement dit une composante partiellement « féminine » de la masculinité attire les « attentions », seraient-elles hostiles, de l'opinion publique. Est-il interdit de corréler ces deux ordres d'idées (obsessions vis-à-vis de l'homosexualité, et crypto-féminisme) qui littéralement, font éruption dans les sensibilités de l'élite à partir de 1575, date large...

généralement des corps dont se compose la société ; mais il n'envisage les uns et les autres que dans les relations qu'ils entretiennent avec l'État au sens majeur de ce terme, c'est-à-dire avec les structures étatiques, administratives, gouvernementales (au sens que nous donnerions aujourd'hui à ces adjectifs). Cette focalisation étroite des enquêtes de Figon est précieuse ; elles concernent en effet presque exclusivement un savoir politologique et organisationnel, qui n'est pas si fréquent autour de 1580 ; elles ne se diluent point dans des aperçus largement sociologiques pour lesquels de toute manière nous disposons heureusement de multiples données, depuis les publications de Charles Loyseau jusqu'à celles de Roland Mousnier.

L'articulation de l'État, selon Figon, est centré autour du tronc* axial de la justice, incarné par le chancelier de France, ou par son substitut momentané, le garde des Sceaux. C'est seulement avec Sully, dans les débuts du siècle suivant, et surtout avec Colbert, que se produiront de ce point de vue les modifications : le chancelier perdra, à partir de 1661, quelque peu de sa position antérieure, si importante, telle que l'avait illustrée l'« arbre » de 1579. La perte jouera au profit de celui qu'on appellera au cours du règne personnel de Louis XIV, le contrôleur général des finances. Le titulaire de cette fonction, Jean-Baptiste Colbert, regroupera dans une main unique (la sienne), le ministère des Finances et celui de l'Intérieur, si toutefois il est décent d'user ainsi d'anachronismes dans le vocabulaire. De ce fait, ce qui était encore en 1579 un État de justice (par suite de la prééminence du chancelier) deviendra de plus en plus, à partir de l'époque colbertienne, un État de finance et de police (celle-ci étant comprise dans son vieux sens administratif, et non pas dans la stricte signification « policière » d'aujourd'hui). En somme, un déplacement d'accentuation s'opérera dans la vieille trilogie du système souverain, justice, police, finance, et cela au profit des deux derniers termes. A l'époque d'Henri III, on n'en est pas encore arrivé à ce stade, et pour cause : le chancelier, éventuellement suppléé par un garde des Sceaux, séjourne toujours au cœur des divers pouvoirs.

Du tronc de l'arbre partent, au gré de Figon, deux branches maîtresses et un certain nombre de branches mineures, elles aussi du premier jet, mais moins importantes. Paire de ramifications essentielles, donc. Grosse branche justicière, à gauche : elle correspond aux « hauts tribunaux » des Parlements et d'abord au Parlement de Paris. Grosse branche financière, à droite : elle parvient, via la chambre des comptes (homologue du Parlement mais cédant la préséance à celui-ci) jusqu'à la Trésorerie de l'Épargne. Celle-ci dont les apparences « épargnantes » ne doivent pas faire illusion, est en réalité le « locus » dont descendent les dépenses étatiques. Au-delà de la Trésorerie de l'Épargne cependant, la « grosse branche financière » monte plus haut et plus loin, jusqu'à la « recette générale » ; ce sont, en fait, *les* recettes générales des diverses généralités régionales ; elles sont, comme leur nom l'indique, le lieu géométrique des rentrées d'argent, celles-ci procédant à leur tour des deniers ou versements d'origine fiscale ou domaniale, localisés en haut et à droite de l'« arbre ».

Pour reprendre les choses à la base maintenant, disons, en termes à peine modernisés, que la sève brute de l'arbre, ou pour parler comme Figon et Bodin la souveraineté ou la Majesté, jaillit (en son point de départ) de l'humus et des racines royales, ainsi que de la souche infrastructurelle du

* Ce tronc est celui d'un figuier (voyez ses feuilles et ses fruits) jeu de mots en l'honneur de Figon qui l'a artistement conçu.

Conseil du roi. La base profonde de la souveraineté est évidemment divine. Ni le peuple, ni la représentation nationale en principe n'y ont leur mot à dire, à en croire le quasi absolutiste Figon (tellement éloigné sur ce point, des monarchomaques protestants, qui furent les premiers théoriciens d'une souveraineté quelque peu populaire, dans les années 1570). Figon, quand il prône un certain absolutisme à l'encontre des monarchomaques, tend du reste à masquer tout un aspect de la réalité objective du royaume : en fait, au temps d'Henri III comme de ses prédécesseurs et successeurs, une amorce de représentation nationale, si imparfaite soit-elle, est bel et bien présente dans les pays d'oïl et d'oc, sous forme d'états nationaux et provinciaux. Or, Figon ne les mentionne même pas, sa vision étant donc déformée par l'idéologie « absolue ». Le peuple, selon notre auteur, doit se contenter d'aimer la royauté et bien sûr d'être aimé d'elle. Il n'est pas représenté comme tel dans l'arbre étatique.

La sève brute de l'« arbre », montée de bas en haut, parvient jusqu'à l'énorme branche de gauche, bref jusqu'au Parlement, dont le titre même de cour souveraine indique bien qu'il est à la fois réceptacle et diffuseur de souveraineté. La sève redescend ensuite, à travers ce même Parlement vers diverses ramifications pendantes : elles se situent, sur le graphique de Figon, en bas à gauche, ou vers « l'ouest-sud-ouest », si l'on veut bien traiter ledit diagramme selon les coordonnées d'une carte géographique. Ces ramifications se distribuent entre des organismes divers, personnages et sous-commissions subordonnés au Parlement parisien. Au nombre des uns et des autres, figurent, parfaitement branchés, les requêtes du palais, la chambre du Trésor, les commissaires délégués ; ceux-ci sont mandatés par le haut tribunal parisien, pour accomplir telle ou telle besogne d'ordre local ou régional. Surtout la sève brute, dans le quart nord-ouest du cadran, continue d'autre part à monter vers les organismes moyens et subalternes de l'appareil judiciaire. Celui-ci s'incarne, bien sûr, dans les groupes d'officiers qui (en ajoutant à la justice proprement dite, les organismes de finance sis au quart nord-est du cadran, plus quelques autres activités), recensent 15 000 titulaires ou peut-être davantage dans la France de 1575-1580. (Au passage, on notera une fois de plus l'économie, l'élégance même de cet appareil d'État qui compte à peine un officier, nous dirions aujourd'hui un fonctionnaire, pour mille « Français ». La proportion s'est beaucoup accrue de nos jours, à l'avantage du fonctionnariat, par rapport à la population générale, sans qu'augmente proportionnellement, tant s'en faut, l'efficacité de l'administration.)

Restons-en à l'appareil de la justice proprement dit, dans sa figuration verticale : pour mieux comprendre le fonctionnement d'icelui, nous observerons maintenant les choses de haut en bas, à partir des « feuillages » supérieurs, en sens inverse du coup d'œil précédent. La « sève élaborée », comme diraient les botanistes actuels, descend en effet (à rebours de la sève brute), depuis les feuilles jusqu'aux branches, puis jusqu'au tronc et tout en bas vers la souche et les racines du végétal, où gît, divinement inspiré, le roi en personne. Cette sève descendante équivaut, comme l'a senti intuitivement Figon, aux demandes de justice, telles qu'elles sont formulées par les régnicoles. En termes plus techniques et qui néanmoins nous demeurent familiers, on est mis en présence de la chaîne des appels qui proviennent des justiciables : ces appels successifs effectuent de proche en proche un parcours graduel et déclive ; ils vont ainsi des tribunaux les plus modiques jusqu'aux sièges les plus prestigieux, à travers une concaténation de cours de justice. Par leur hiérarchie même, ils définissent d'aval en amont l'arborescence des tribunaux, du dérisoire à l'important, dans les limites de l'imagerie figonienne.

Parmi les juges mineurs perchés « sur les plus hauts rameaux » en haut et à gauche de l'arbre, se détachent (hors du cursus normal des offices strictement monarchiques), les échevins, capitouls, consuls et maires des villes, équivalents des « édiles » ou conseillers municipaux de nos récentes Républiques. Signe des temps, et grosse différence avec le XVIᵉ siècle, notre époque n'envisagera guère ces responsables des villes quant à leurs fonctions justicières, alors que pour les hommes de la Renaissance, la chose allait de soi : un maire était aussi un juge, un magistrat mineur en matière de simple police, etc. Dans la catégorie des *minores*, Figon mentionne également les notaires dont il a pu, en un Midi qui est devenu pour lui terre d'adoption, apprécier toute l'importance. Il les considère, au premier chef, en tant que juristes ; autrement dit, une fois de plus, comme des hommes de justice, gardiens de la sainteté du contrat (ils incarnent en effet cette fonction particulière, mais à leur façon, et à temps partiel). Surgissent enfin au plafond nord-ouest du graphique, les juges seigneuriaux, *alias* « officiers des seigneurs hauts justiciers », dans le langage de l'époque. Ces juges très spéciaux sont plusieurs milliers en France, doublant les officiers de l'État, ou doublés par eux.

A partir de ces nombreux personnages logés « en haut et à gauche » de l'arbre, on descend progressivement au long des ramifications de ce que nous appellerons désormais, pour changer de métaphore, le réseau hydrographique des appels ; ils émanent originellement des justiciables, dès lors que ceux-ci se pourvoient contre les tribunaux de rang modeste : on se dirige, au long de la descente, vers des confluences plus importantes. On passe à divers juges royaux, dans des cités déjà non négligeables. Puis on accède à la « rivière », déjà essentielle, des bailliages et sénéchaussées : leurs titulaires, baillis et sénéchaux, homologues géographiques de nos préfets[4] ou quelquefois sous-préfets, sont eux aussi perçus, à l'époque, comme des juges et plus précisément comme des présidents de tribunaux. Les baillis et sénéchaux peuvent d'autre part procéder (tout comme les consuls ou capitouls des villes, mais sur un plan plus large) à des activités proprement administratives, sur le territoire de leur district. Enfin le gros affluent qu'on vient d'évoquer, la « rivière » des bailliages et sénéchaussées, se jette à son tour dans le fleuve majeur des Parlements, ceux-ci étant récepteurs, en queue de liste, de tous les appels et appels d'appels qui dérivent des juridictions susnommées aux divers niveaux, et de haut en bas. D'autres « rivières » analogues ou plutôt homologues à celles des bailliages correspondent aux présidiaux qui furent fondés par Henri II pendant les années 1550.

A ce propos, et s'agissant ainsi d'institutions bien datées, Figon, d'esprit plutôt moderne, souligne en son *Avis au lecteur* qu'il est intéressé non point par la « diachronie », par l'origine ou la date de fondation et de mutation des diverses entités institutionnelles qu'il mentionne ; mais bien par la synchronie, la manière dont ces segments s'engrènent dans les enchaînements administratifs, « sous l'autorité du roi et la souveraine majesté d'icelui ». Nous permettra-t-on, d'un tel point de vue, de comparer Figon aux structuralistes saussuriens et lévi-straussiens des années 1960-1970 ? Ceux-ci en effet délaisseront également, dans leurs savantes études, l'histoire et la genèse, en faveur de la structure et du système.

Elles (les rivières) figurent aussi les bourses et consuls des marchands, (celles-là et ceux-ci formant des juridictions commerciales) ; ainsi que les maîtres des ports et passages, ces « maîtres » s'occupant des barrières et tarifs douaniers, et des gens sans aveu ou suspects, repérés à la frontière ; au même niveau hiérarchique se situe, chez Figon, l'institution dite de la Table de Marbre* vers laquelle descendent pour leur propre compte les appels interjetés contre les juridictions de l'Amirauté, de la Connétablie, des Maréchaux de France et des Eaux et Forêts. Ces quatre rubriques à leur tour fonctionnent simultanément comme administrations et comme tribunaux, dans la grande tradition de l'Ancien Régime. Répétons, au risque de lasser, que les appels qui concernent et donc contredisent la Table de Marbre ou les présidiaux confluent eux aussi en fin de course vers le Parlement.

En haut du graphique, à droite de la branche des présidiaux, disons dans la direction nord-nord-ouest (si l'on assimile une fois de plus les arborescences de Figon à une carte géographique), on remarquera la branche importante enfourchée directement sur l'axe central de la chancellerie ; elle est formée par les « prévôts des maréchaux généraux et provinciaux », bref par la maréchaussée, modestement équivalente à notre actuelle police : l'institution ainsi mise en cause est liée à ces grands chefs militaires que sont les maréchaux. Elle est encore faible en cette époque, tout comme est minoré par ailleurs, l'État de finance. Elle ne commencera à prendre son essor (en direction de la police de type moderne) qu'avec l'instauration, au temps de Louis XIV, de la lieutenance générale de police, à Paris, en 1667, charge qui sera confiée au célèbre La Reynie. Une fois de plus, nous constatons que la rupture d'avec le schéma de Figon ne sera consommée que dans les années 1660 décidément climatériques, soit quatre-vingt-deux ans après que l'« arbre de justice » eut été dessiné par notre auteur.

Avec le quart nord-est du cadran, nous abordons derechef le secteur des finances : il ne s'agit plus des « résultats » obtenus par l'appareil étatique, en d'autres termes des « sorties », productions ou sentences (essentiellement judiciaires) qui sont issues du quart nord-ouest, et qui s'effectuent, comme nous le vîmes, en contrepartie des demandes de justice que formule la population ; il s'agit cette fois des « entrées » monétaires, qui sont injectées dans l'appareil d'État grâce aux perceptions des impôts, auxquelles procède justement cet « appareil ». Lesdites « entrées » constituent simultanément des « soutiens » que les contribuables, surtout les ruraux, apportent bon gré mal gré à la monarchie. Insistons d'abord sur le fait que la chancellerie, en ces années 1570, conserve une très grande influence quant aux administrations financières[5]. Elle ne perdra ce droit de regard que près d'un siècle plus tard, à l'époque de Colbert, et au profit, une fois de plus, du contrôle général des finances. En ce sens, le tronc de justice, au temps d'Henri III, demeure effectivement unique, central, axial ; il se subordonne, de façon assez étrange pour notre mentalité contemporaine, celles de ses branches qui sont proprement financières. (Imaginons à ce propos, aux fins de pédagogie vis-à-vis du lecteur, qu'aujourd'hui encore en 1987, le garde des Sceaux, par fonctionnaires interposés, soit placé, chose pour nous impensable, à la tête de l'administration des finances.) Les temps colbertiens, en séparant si l'on peut dire l'arbre de finance de l'arbre de justice, mettront fin à cette situation de dominance judiciaire qui, rétrospectivement, aux termes des usages actuels, pourrait apparaître comme anormale.

* Dans l'île de la Cité, au Palais de Justice, les juridictions des Eaux et Forêts, de la Connétablie, de l'Amirauté, et des Maréchaux de France siègent, en principe, dans la grande salle commune, autour d'une longue table de marbre noir.

tenait lieu de celles-ci, du Nord au Sud de la nation ; soit l'équivalent d'une bonne ville de ce temps-là, mais provisoirement nomadisée). Les « dépenses » faites pour cette Cour (qui n'est pas toujours ambulatoire, tant s'en faut) sont ventilées notamment en argenterie, cadeaux divers, vénerie, écurie (la charge capitale de grand écuyer est toujours confiée à un seigneur important). Enfin, puisqu'il faut bien assurer aux courtisans et à la famille royale une protection militaire, les dépenses curiales ou, comme dit Figon, les frais pour la « Maison du roi », incluent également une trésorerie des cent gentilshommes et des gardes (les capitaines des gardes qui détiennent le commandement de cette troupe d'élite sont de grands personnages : ils occupent, à la tête de leurs hommes, un poste convoité). A droite du grand tronc axial de l'arbre, du haut en bas de la figure qu'a proposée Figon, se dessine donc en chute libre, du nord-nord-est au sud-sud-est, un axe second, qu'on pourrait définir à partir du concept wébérien de « monarchie patrimoniale ». Soit dans la portion supérieure (au nord-nord-est), le « domaine propre » de la monarchie, déjà décrit ici même et dont descendent à titre d'entrées ou *inputs* un certain volume de ressources, du reste minimes. Et dans la portion inférieure, au titre des sorties, dépenses ou *outputs*, la Cour : elle absorbe et bien au-delà, lesdites ressources domaniales pour les besoins de consommation et de représentation qui affectent la *familia* monarchique. Celle-ci, à vrai dire, est fort élargie, puisque renforcée de courtisans, de gardiens et de domestiques. Et puis sur la verticale qui tombe directement à l'extrême droite du schéma figonien, depuis le nord-est jusqu'au sud-est, apparaissent les structures d'un État au sein duquel nos contemporains se sentiraient déjà moins dépaysés : en haut, précédemment rencontrées, s'individualisent les recettes fiscales ; elles sont expressives, à quelques détails près, d'une fonction publique destinée à longue existence. Vers le bas, ces revenus dérivés de l'impôt s'engouffrent en direction des dépenses de l'État, qui s'identifient aux « sorties » typiques de celui-ci ; il s'agit, en particulier, des dépenses pour l'armée, cette grande mangeuse d'argent de l'Ancien Régime ; elle dévorera jusqu'à 50 % ou davantage des « budgets » royaux : les têtes de chapitre, dans ce secteur, s'appellent donc ordinaire de la guerre, extraordinaire des guerres, marine, artillerie, fortifications... Et puis viennent les dépenses en vue du service diplomatique (frais pour « ambassades et voyages ») ; les rentes et pensions (pour les courtisans et autres protégés ou clients du régime) ; les récompenses, dons et bienfaits (même remarque) ; enfin les « gages de gens de justice et de finance », bref le traitement des officiers ou fonctionnaires : il représente peu de choses à l'époque, car ceux-ci se salarient eux-mêmes, au moins en partie, grâce à leur fortune personnelle et aussi grâce aux épices qu'ils perçoivent de leurs administrés, sur le mode officiel ou officieux. Les gages qu'ils touchent du fait de l'État ne constituent donc qu'une partie de leur revenu, et pas forcément la plus importante. La description que propose Figon à propos des dépenses ou *outputs* de l'État offre par conséquent, quoique brève, un caractère exhaustif. Elle inclut en effet, la Cour, l'armée, la diplomatie, la bureaucratie judiciaire et financière, enfin les gratifications.

Il resterait à parler des « parties basses » du schéma de Figon : autrement dit tout le quart sud-ouest, et également la portion située « en bas à droite » (au sud-est). On y trouve les gouverneurs des provinces et les ambassadeurs (soit le roi présent à l'intérieur et à l'extérieur du royaume) ; le grand prévôt de l'hôtel (il est juge des affaires curiales) ; le Grand Conseil du roi, qui double et « coiffe » les Parlements, mais en attirant si possible à l'éche-

Sur un thème pétrarquiste, cette miniature personnifie la Fortune, couronnée, les yeux bandés ; moitié du visage lumineux, à gauche ; l'autre moitié, obscure, à droite. A gauche, au moyen de ses nombreux bras, cette Fortune couronne un empereur, un pape, un roi, et distribue des trésors. A droite, elle fait tomber tiares et couronnes (papales, impériales, royales...). « Devant elle, une roue (de fortune justement) sur laquelle sont assis des personnages qui figurent les diverses conditions humaines : au sommet, un empereur, deux rois. De chaque côté de la roue, trois figures de femmes : à gauche la joie fait tourner la manivelle. A droite, douleur, crainte, adversité. » Historiquement, au XVIe siècle, les rois, empereurs et papes résisteront assez bien aux coups de la fortune. Ils se distingueront même par leur remarquable capacité à « encaisser » (François Ier après Pavie, la papauté après le sac de Rome, l'empereur après la défaite de Metz en 1552). Plus qu'à la politique au jour le jour, c'est donc à la culture de l'époque qu'il faut rapporter cette « roue de fortune ». Ainsi, pour Machiavel, on devient prince par virtù ou par fortune. Quant au retournement sens dessus dessous (toujours la roue...) des conditions humaines, spécialement celles des rois, papes et empereurs, on en trouvera un exemple extrême ou burlesque dans le Pantagruel de Rabelais, lors de la descente d'Épistémon aux Enfers, où les grands sont en situation inversée : « Trajan (empereur) y était pêcheur de grenouilles ; Priam (roi) vendait les vieux chiffons... Le pape Jules était crieur de petits pâtés... » Ces représentations sérieusement ou comiquement carnavalesques viennent de la tradition médiévale, éventuellement renforcée plus tard par l'humanisme antique (Lucien) ou moderne (Erasme). Cependant, poussées trop loin, elles peuvent irriter les autorités royales : Rabelais fit donc disparaître des éditions ultérieures de son Pantagruel les douze pairs de France et Charlemagne qu'il avait explicitement humiliés, aux Enfers, dans la première édition. (D'après G. Ritter et M.A. Screech.)

Pétrarque, Des remèdes de fortune, manuscrit à peintures de l'école de Rouen, année 1503, Paris, Bibliothèque nationale.

Pour la loy de Iesus & sa Passion Saincte,
Les bons Princes Lorrains massacrez ont esté,
Mais l'ame qui na peu par le glaiue estre estainte,
Iouit de la diuine & celeste clarté,
Le sang epars a Bloys d'un & d'autre costé,
Des deux Freres desquelz voici les Effigies,
Crie sans cesse à Dieu, requerant sa bonté,
De venger eux & nous de telles tirannies.

GUISE
ET GUISARDS

Les guerres civiles reprennent, à partir de 1584, sur une base nouvelle ; trois groupes d'acteurs, et non plus deux, sont maintenant affrontés : protestants navarristes dans les Provinces Unies du Midi ; catholiques centristes, qui « politiques », qui « valoisiens* » ; catholiques guisards, enfin, au premier plan ; qu'est-ce donc qu'être un guisard et tout simplement un Guise, dans cette France « fin de siècle » où se développe la surprenante révolution ligueuse, destinée dès 1588 à déployer tous ses effets ?

La première génération célèbre des Guise, celle du vainqueur de Metz et de Calais, et des omnipotents conseillers de François II, avait proposé, en vrac, quelques-uns des linéaments du modèle familial qui va s'épanouir dans la période ultérieure : catholicisme intransigeant, esprit chevaleresque, goût du pouvoir, compétence militaire, séduction vis-à-vis des foules. La seconde génération, celle d'Henri de Guise (assassiné en 1588) confère à cette esquisse un développement grandiose et une conclusion tragique, jamais absente, du reste, des destins de la gens : François de Guise, père d'Henri, était mort en 1563, sous les coups d'un assassin, Poltrot de Méré (celui-ci peut-être téléguidé, Dieu ou Coligny savait par qui).

La carrière d'Henri de Guise, une fois sorti de l'adolescence, revêt ses dimensions historiques à partir de 1575 (victoire sur les reîtres germaniques à Dormans). Dès 1584, elle connaît un nouvel essor : c'est en effet l'année du décès de François-Hercule, ex-duc d'Alençon, frère cadet d'Henri III. Trépas décisif ! Se trouvent posés, de façon désormais incontournable, les problèmes de la succession des Valois. Henri III dont le mariage demeure stérile n'a plus, aux normes de la loi salique, qu'un seul héritier légitime, celui-là même que tant de personnes redoutaient depuis longtemps : Henri de Navarre, descendant lointain de saint Louis... et prince huguenot. La France catholique est au rouet. Un dossier successoral presque aussi embrouillé avait déjà provoqué, deux siècles et demi plus tôt, rien moins que la guerre de Cent Ans. Quant aux tourments de conscience que crée la différence religieuse entre le prince et son peuple, on en trouvera l'équivalent approximatif, en sens inverse, cent années plus tard, chez les Britanniques, quand Jacques II, roi papiste, devra gouverner des sujets anglicans : une révolution pacifique certes, mais profonde et « glorieuse », s'ensuivra en l'an 1688. C'est dire le caractère épineux de l'alternative qui s'offre, à partir de 1584.

La première Ligue catholique, ce nonobstant, était née en 1576, autour de

les gentilshommes de niveau modeste, a quelques raisons de s'effrayer des prétentions « super-féodales » du trublion lorrain ; toute une clientèle issue de la noblesse seconde est donc disponible pour Navarre et pour le roi de France ; celui-ci distribue sans pingrerie à des fidèles issus de ce deuxième groupe les titres de duc et pair, et les décorations du Saint-Esprit. La prestigieuse collectivité des ducs et pairs, dont Saint-Simon se fera le chantre génial, voit du reste poindre sous le dernier Valois ses revendications de vanité spécifique, hiérarchique.

En second lieu, le groupe guisard ne dédaigne pas de compter sur la triplicité traditionnelle des États Généraux : les trois ordres ! Au grand dam du souverain, Guise a su faire élire à grosse majorité ses partisans, parmi les représentants du Tiers et du clergé, sinon de la noblesse, aux États de 1588. Face à une monarchie valoisienne et bientôt bourbonienne qui cultive, sans avoir l'air d'y toucher, les premières semailles de l'absolutisme, les Lorrains, entre autres avatars, représentent paradoxalement, une espèce d'alternative constitutionnelle, on n'ose pas dire libérale ! Depuis le XIVe siècle, *grosso modo* depuis l'époque d'Étienne Marcel, le spectre d'une monarchie contrôlée par la représentation des corps qui constituaient à eux tous le royaume, hantait les élites dirigeantes et les agents du Pouvoir. Les Guise (quelquefois dépassés en l'occurrence par leurs supporters les plus ardents) donnent chair derechef à ce vieux rêve, lors des débats houleux qui opposent les trois ordres au roi ou à ses proches, durant les États de 1588.

De ce point de vue, répétons-le, la faction guisarde est-elle si éloignée des protestants et des politiques, dont la séparent en d'autres domaines l'infranchissable fossé de la divergence théologique et de la détestation mutuelle, ainsi que le flux torrentiel du sang versé ? Constatons simplement qu'autour de 1585-1589, deux grands réseaux de délégations régionales se dessinent sur le territoire français : ce sont les Provinces Unies du Midi, politico-protestantes ; et d'autre part les pouvoirs confédéraux, si mal jointoyés soient-ils, émanant des villes et corps qui, principalement dans la France septentrionale, reconnaissent l'autorité des Guise, comme de la Sainte Union catholique. Osons en ce sens une comparaison qui peut-être choquera : la France de 1588, ou partie d'entre elle, afin d'éviter l'impensable avènement d'un roi calviniste en la personne de Navarre, voudrait s'en remettre avec pleine confiance à la délégation catholique des groupements urbains, ecclésiastiques et régionaux de toute sorte, coalisés sous l'égide des Guise. Or, ce morceau de royaume est-il si différent, en cela du moins, de l'Angleterre de 1688 ? Celle-ci, pour écarter le « cauchemar » d'un souverain catholique (Jacques II) confiera sagement le dépôt du pouvoir légitime aux instances expressives des communautés régulières, Église anglicane, Lords, Communes... le tout sous les auspices d'un leader protestant, Guillaume d'Orange, appelé tout exprès, et qui en fin de compte occupera le trône londonien. Mais il est vrai qu'outre-Manche, la religion localement minoritaire (les catholiques) ne disposera, Irlande mise à part, que d'effectifs dérisoires ; les choses seront donc menées pacifiquement, et de main de maître. En France, par contre, les huguenots sont nombreux et les haines puissantes, au point que de durs combats sont nécessaires ; on n'en sortira, pour finir, qu'au moyen d'un recours au proto-absolutisme « ouvert », géré par un suprême arbitre, Henri IV, au-delà de 1589-1595.

Reste enfin, « sous » les Guise, mais pas totalement contrôlée par eux, la question de l'assise citadine, et nommément parisienne, du mouvement : en

CHAPITRE 11

L'OUVERTURE

Henri IV qui (théoriquement) accède au trône ou à ce qu'il en reste, en l'an de disgrâce 1589, marque rupture et continuité par rapport à la ci-devant dynastie des Valois. Cousin très lointain d'Henri III, il appartient à cette famille des Bourbons, qui, pendant trois siècles, avait vécu à l'ombre du pouvoir, le servant souvent, le trahissant quelquefois, brusquement jetée à la fin du XVIᵉ siècle aux avant-postes d'une actualité qui ne la lâchera plus. Béarnais, populiste, authentiquement proche des paysans qu'il a bien connus dans son enfance et qu'il aimera retrouver par la suite, Henri de Navarre conservera sinon la forfanterie, du moins « la ladrerie et la cordialité facile » qu'un stéréotype attribue à ses compatriotes du « petit pays ». Albret par sa mère, il hérite de l'humanisme érasmien et souriant qui caractérisait son aïeule Marguerite d'Angoulême, digne sœur de François Iᵉʳ ; il participe aussi des idées calvinistes qu'adopte et que propage énergiquement Jeanne d'Albret qui l'engendra : la mère et le fils figurent en effet au tout premier rang des signataires de la Confession de La Rochelle, qui demeurera pendant des siècles, le *Credo* des protestants français*.

Monarque de Navarre, Henri est en procès permanent avec l'Espagne. En 1512, celle-ci avait rattaché aux pays castillans les provinces navarraises d'outre-Pyrénées ; Madrid avait ainsi réduit ce qui restait de ce petit royaume à la surface d'un État-croupion, sis au Nord de la ligne de crête des Pyrénées. Néanmoins, Henri, dès la mort de sa mère, demeure mini-potentat régional, voire semi-national : outre sa royauté héréditaire, il dispose en effet du Béarn, du comté de Foix et de l'Armagnac ; il est enfin gouverneur de Guyenne pour le compte du roi de France**.

Méridional, ou plutôt Gascon, comme on disait à l'époque, il est aussi Français, inséparablement. Les alliances ou les parentèles de ses ascendants le rattachent à François Iᵉʳ (auquel il ressemble vaguement), à Louis XI ainsi qu'aux princes lorrains et savoyards ; du fait de ces liens et des cousinages qu'ils impliquent, il évolue aisément dans le réseau international de la haute « princerie » francophone. Bon gré, mal gré, il a passé une partie de son enfance et de son adolescence à la Cour des Valois : il écrit donc à merveille la langue française, sans qu'un gasconisme affleure sous sa plume. A plusieurs reprises, il a changé de dogme, passant du protestantisme au catholicisme et vice versa : sa foi est multiple, mais d'autant plus profonde***. L'Ancien et le Nouveau Testament donnent forme et substance aux expériences plurielles qu'il a vécues dans le domaine du sacré. Il connaît et médite les Psaumes. Il se veut homme de dialogue et de tolérance, du seul fait d'une conscience exigeante et libre, éduquée dans le pur style de la Réforme. Sa culture classique, plus latine que grecque, est adéquate, sans plus : par définition, elle se situe à l'écart ou au-dessus des conflits religieux

* « En avril 1571, Jeanne d'Albret assiste avec son fils Henri de Navarre, le futur Henri IV, au synode huguenot de La Rochelle, qui groupe les plus hautes autorités de la "Religion" calviniste, au premier rang desquels Théodore de Bèze (...). La confession de foi dite de La Rochelle y est élaborée, texte majeur qui demeure aujourd'hui encore le *Credo* de l'Église réformée de France. Le texte original de la confession porte dans l'ordre les signatures de Jeanne d'Albret, Henri de Navarre, Condé, Nassau, Coligny, puis les pasteurs ¹... »

** Plus précisément, il est souverain en Béarn, Navarre et comté de Foix ; il possède le duché d'Albret et des centaines de fiefs lui rendent hommage dans le comté d'Armagnac ; au Nord de la Loire, il est duc de Vermandois et Beaumont, comte de Marly, vicomte de Châteauneuf-en-Thimerais ; il régit d'autre part le gouvernement royal de Guyenne, en collaboration avec le lieutenant général François de Matignon.

*** Il peut paraître paradoxal d'affirmer qu'une foi multiple (pluraliste ? œcuménisante ?) est d'autant plus profonde. C'est pourtant le cas en ce qui concerne beaucoup d'hommes du XVIᵉ siècle et notamment Henri IV. Pourvu d'une excellente éducation religieuse dans l'enfance et à l'âge adulte, le Béarnais en effet a probablement pris « le meilleur » des dogmes concurrents qu'on lui inculqua sur le mode successif. Henri a été baptisé catholique en 1554, il passe sous l'influence protestante de 1559 à 1562 ; il est derechef catholique (à cause de son père) de juin à décembre 1562 ; puis protestant de 1563 à 1572 ; catholique encore, de force, après la Saint-Barthélemy (1572) ; il retourne une troisième fois à la huguenoterie après sa fuite de la Cour (1576) ; il se reconvertit enfin définitivement au catholicisme en 1593. Au XVIIIᵉ siècle, de telles palinodies (à six ou sept reprises !) engendreraient le scepticisme pur et simple. Mais le XVIᵉ siècle, avec son immense appétit du divin, n'est pas encore « négateur ».

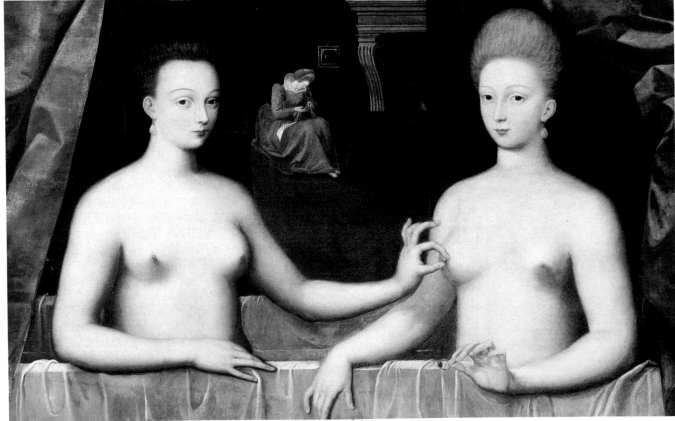

Mais de 1598 à 1610, on n'en est pas encore là. L'esprit de coexistence et de paix fructifie sans discontinuer : les assemblées générales des Églises réformées de France se réunissent à rythme triennal ou quinquennal. Le gouvernement n'y met point le holà. Du reste, Henri fait pression sur les Parlements, solidement catholiques, afin de les contraindre à enregistrer l'édit de Nantes. On trouve encore des protestants parmi les plus grands noms du pays : Lesdiguières, grand ami huguenot du Béarnais, devient ainsi lieutenant général dans la province du Dauphiné qui depuis longtemps était en sa main. Il est fait maréchal de France en 1609 ; il ne daignera se convertir au catholicisme que beaucoup plus tard, au temps de Louis XIII, quand la pression idéologique sera devenue plus insistante, et moyennant l'octroi d'une épée de connétable. Au plan des incidences doctrinales, un Louis Turquet de Mayerne, huguenot lyonnais, peut encore élaborer à la fin du règne d'Henri IV, dans sa *Monarchie aristo-démocratique* (à paraître en 1611), des théories qui font penser aux conceptions contestataires des monarchomaques protestants du XVIe siècle. Selon Turquet, la monarchie, quoique inscrite dans un plan divin, tient sa souveraineté « en fief du corps universel de son peuple[5] ». Elle doit se subordonner à une pyramide de Conseils représentatifs, et à des États Généraux régulièrement convoqués. L'auteur entend même se prévaloir de certains contacts avec Henri lui-même. A tout le moins renoue-t-il fermement le lien qui, au cours des années 1570, avait uni le choix protestant aux premières aspirations démocratiques.

Bien entendu, il serait naïf de parler d'une idylle entre les « deux religions » au cours de l'initiale décennie du XVIIe siècle. L'Église catholique continue à exercer des pressions de tous ordres, y compris par la pure et simple corruption monétaire, pour que se convertissent les huguenots, bas ou haut placés. Vice versa, en Béarn, et même à Nîmes, l'intolérance protestante persiste à peser sur les « papistes » locaux ; ils sont refoulés dans une semi-clandestinité quant à l'exercice de leur culte.

L'époque, néanmoins, est suffisamment « cohabitante », pour mériter tout à fait le flot de nostalgie rétrospective dont l'inonderont un siècle plus tard les philosophes de la tolérance, en tête desquels s'inscrira Voltaire, auteur d'une laudative *Henriade*. Au surplus, l'esprit de convivialité multiconfessionnelle et intra-confessionnelle fonctionne comme un compas, ouvert au maximum de son « empattement » : il inclut dans une prise œcuménique non seulement les huguenots, mais aussi les chefs ligueurs, hier encore adversaires « irréconciliables » du Béarnais. Le ralliement des Guise, d'Henri de Joyeuse et de quelques autres leaders a probablement coûté plus de 10 millions de livres, en gratifications reçues par eux, soit la moitié du « budget » annuel de la monarchie, tel qu'il s'établissait *de facto* vers 1600... La paix civile est à ce prix. Henri manifeste en l'occurrence, à grands frais certes, une volonté générale d'intégration et de réconciliation des élites aristocratiques : désormais un Guise peut coudoyer un Sully sans que les deux hommes se sautent à la gorge. Louis XIV, sur un autre plan, agira de même quand il comblera de pensions les grands seigneurs courtisans, pour les encager. Une analyse purement sociologique de ces phénomènes serait néanmoins trop sèche. En fait, il y a chez le premier Bourbon un sens fin, personnel, de la justice et de l'opportunité, paradoxalement réunies. Le tract qu'il fit massivement distribuer lors de la reprise de Paris, en mars 1594, constituait de ce point de vue un modèle du genre : le royal signataire, en ce texte, promettait pardon et amnistie totale pour les personnes et pour les biens, à l'intention des partisans de la Ligue, y compris les plus excités, nommément les Seize (*cf. supra*, p. 274). Cet engagement grosso modo sera respecté. On eût souhaité qu'il inspirât jusqu'en notre temps, les leaders de diverses guerres civiles, en des nations variées, chefs trop souvent vindicatifs, sanguinaires, implacables...

Par-delà les textes législatifs, la mentalité même des classes dirigeantes est grosse de diversifications culturelles et de fécondes juxtapositions : l'Église catholique (gallicane) est stimulée par la compétition avec le concurrent huguenot ; elle bénéficie déjà des prémisses du prodigieux essor du siècle des saints ; surtout elle voit naître en son propre giron la divergence janséniste, paradoxalement cultivée par d'anciens ligueurs (la famille Acarie) et par d'anciens protestants (la famille Arnauld). Les premiers apportent à cette entreprise la touche de terrorisme intellectuel qui, de fait, caractérisera ensuite les disciples de Jansénius ; les seconds vont infuser au nouveau mouvement les théories ci-devant calviniennes de la grâce omnipotente, primitivement inspirées de saint Augustin.

La nouvelle donne d'« ouverture » s'avère fertile et positive dans le domaine de la diplomatie. Il y a disponibilité croissante de celle-ci, en direction du Nord et de l'Est : on note un basculement de l'entité française dans le sens des puissances protestantes ; elles sont éventuellement libérales et bientôt capitalistes, du moins dans le cas de la Hollande, de l'Angleterre, de Genève. Au Nord, Henri cultive « sa bonne sœur Elisabeth » à laquelle l'associe malgré quelques traverses une tendre amitié épistolaire ; il s'inspirera du reste d'un modèle typiquement élisabéthain, quand il lui faudra faire mettre à mort Biron, tout comme la reine-vierge avait ordonné la décapitation de son ex-favori le comte d'Essex (1601). Après le décès de celle-ci (1603), Jacques Ier Stuart, à sa manière, est un autre Henri IV — panache et intelligence en moins, certes — mais attentif également à la survie du protestantisme, comme à la consolidation d'un absolutisme monarchique, dont la mise en œuvre, à vrai dire, s'avère plus difficile en contexte londonien qu'en milieu parisien. De grands ambassadeurs itinérants (Mornay, Sully) viennent confirmer au-delà du Channel l'anglophilie du Béarnais. Au Nord-Est, l'indépendance de la Hollande, achetée au prix du sang par les indigènes, trouve dans le roi de France un défenseur vigilant : il est prêt à contribuer financièrement aux combats néerlandais contre l'Espagne. Henri maintient aussi de toutes ses forces, la très zwinglienne alliance helvétique, productrice de régiments soldés par l'État français ; il consolide les connexions familières avec la République de Genève, qui repousse sur ses remparts, en 1602, l'escalade que tente l'ennemi savoyard. S'agissant de ces quatre puissances (Londres, Amsterdam, Berne, Genève), comme aussi de l'Allemagne partiellement luthérienne, et des Scandinaves, tout se passe comme si Henri n'avait pas vraiment abjuré le protestantisme, en termes de rapports diplomatiques. Il est vrai que le cardinal de Richelieu, si catholique pour le reste, se conformera sur ce point précis à la politique henricienne, en vue d'un soutien aux princes protestants, considéré comme impératif national.

L'ouverture au Nord s'accompagne d'une fermeture au Sud-Ouest, pour le moins partielle : le conflit avec l'Espagne dont le catholicisme dur ne convient point, en France, aux mentalités dominantes, traverse comme un fil rouge la diplomatie du Béarnais et aussi le cas échéant, sa stratégie militaire.

LA TERRE ET LE SANG BLEU

Reste à envisager un dernier aspect de la démarche d'ouverture, constitutive du règne henricien et mené avec l'assentiment d'une forte partie des élites. Étant bien entendu, certes, qu'il s'agit d'une patiente stratégie des « petits pas », beaucoup plus empirique que dogmatique. Cet ultime aspect concerne l'économie ; il s'agit d'abord pour les dirigeants de tabler sur un essor conjoncturel et spontané de celle-ci, essor typique d'une longue période de reconstruction d'après-guerre (par-delà le terme des combats de religion). Cette phase positive, les historiens l'ont décorée métaphoriquement du nom de « poule au pot », expression forgée dit-on par Henri IV, et significative d'une assez jolie période de prospérité paysanne et urbaine ; ladite période a dû probablement commencer vers 1593-1594 ; la « poule au pot » s'est ensuite prolongée, « mitonnée » jusque bien après la mort du Béarnais ; peut-être même a-t-elle duré jusqu'au grand virage des années 1624-1635, où le tour de vis fiscal de Richelieu et l'entrée dans la guerre ouverte provoquent à nouveau d'assez rudes souffrances parmi les masses populaires. Sur cette chronologie conjoncturelle, nous serons plus précis dans les paragraphes ultérieurs du présent ouvrage, consacrés à un bilan économique, social, étatique de la France henricienne. Pour l'heure, nous évoquerons strictement (sur la base implicite de ces tendances à l'essor spontané) les problèmes d'une politique de volontarisme économique et financier, comme partie prenante des stratégies d'ouverture, initiées par le pouvoir central et régional. La figure ministérielle de Sully, représentative d'une culture et d'un groupe élitaire, polarisera nos réflexions à ce propos.

Né en 1559, Maximilien de Béthune, baron de Rosny, duc de Sully en 1606, protestant de famille et de conviction, représente à lui tout seul une synthèse de l'aristocratie et plus largement des hautes classes dirigeantes en son époque. Est-ce là l'une des raisons de son succès, qu'expliquent aisément par ailleurs sa vaste intelligence, ses facultés d'initiative sans cesse déployées, son savoir immense et sa capacité polytechnique : il est à la fois agriculteur, commerçant, agent secret, soldat, courtisan, artificier, ingénieur, comptable, mémorialiste... bref, l'un de ces personnages calvinistes à la fois efficaces et multivalents dont Max Weber donnera l'inoubliable portrait dans son Essai sur l'éthique protestante et l'esprit du capitalisme. J'ai parlé de synthèse sociale. Effectivement, la généalogie et les alliances de Sully sont parlantes : il est de haute naissance puisque descendu directement (non sans appauvrissement matériel dans l'entre-temps) de l'illustre famille des comtes de Flandre ; en premières noces, il épouse une sympathique Courtenay, qui sort d'un incontestable rameau, quoique mineur et

Par ailleurs, divers épisodes de contestation rurale ont pris place, en d'autres provinces, pendant les années du règne d'Henri de 1589 à 1594 : particulièrement dans la Bourgogne viticole des « Bonnets rouges » (pro-royalistes) et en Bretagne bretonnante (pro-ligueuse). Ultérieurement, le régime et le monarque, une fois la paix revenue, sauront désamorcer les rébellions agraires. Cet assagissement tient à la croissance du consensus inter-confessionnel, à la restauration de l'ordre, à la moindre présence des brigands et des soldats pillards, à l'amélioration des revenus rustiques enfin, qui rend moins douloureuse la pression fiscale, elle-même diminuée. Cela dit, on aurait tort de peindre en idylle la situation des masses paysannes, y compris pendant les belles années de « poule au pot » de la fin d'Henri IV et du début de Louis XIII : aux États Généraux de 1614, le président du bailliage d'Auvergne, Savaron[5], mandaté par le Tiers État, n'hésite point à décrire publiquement la misère des ruraux de sa région, en présence du petit Louis XIII : « Que diriez-vous, Sire, si vous aviez vu dans vos pays de Guyenne et d'Auvergne, les hommes paître à la manière des bêtes. » Par-delà l'exagération littéraire, une telle notation pourrait bien être pertinente quant au bas niveau de vie des provinces d'oc, au Centre et au Sud-Ouest, volontiers remuantes. Il suffira du reste que Richelieu appesantisse à nouveau le pressoir fiscal pour qu'aux années 1630 s'exprime encore une fois, vendange amère, le cycle du croquandage des Gascons.

La prospérité de l'époque « d'après-guerre », au temps d'Henri IV et au début de Louis XIII, fait donc contraste avec les malheurs des décennies précédentes ; elle est évidemment pain bénit pour les gros laboureurs, receveurs de seigneuries, coqs de village, fermiers à grosses bottes ou « matadors » (comme on dira au XVIIIe siècle), qui sont l'élite roturière et déjà entreprenante, voire semi-capitaliste du monde rural. Ce bonheur (relatif) des paysans aisés manifeste une capacité capillaire : il « remonte » jusqu'aux bailleurs du sol qui contractent avec ces fermiers, en d'autres termes, jusqu'à la noblesse seigneuriale et foncière ; elle tient un quart ou un cinquième du sol français, côte à côte avec l'Église et la bourgeoisie (un autre quart à elles deux ; la paysannerie tenancière ou parcellaire contrôle la moitié restante des biens-fonds). Les destinées majeures des grands aristocrates, Sully, Condé, Richelieu, Guise ne doivent pas en effet créer illusion. Comptons 200 000 nobles au très grand maximum (hommes, femmes, enfants) dans le royaume d'Henri IV, pour 19 millions d'habitants. Là-dessus un tiers environ se rattache à des familles d'officiers, récemment anoblies. Le reste qui compose la noblesse native ou de gentilité, se compose à 70 % de terriens, plus ou moins pur sang ; 20 % de militaires (généralement propriétaires de domaines eux aussi) : le reste, un petit dixième, jouit du prestige maximal, grâce à des contacts permanents, fréquents ou occasionnels avec la Cour du monarque. Les agrariens ou hobereaux à sang bleu, qui représentent par conséquent la majorité de l'ordre nobiliaire, font valoir par eux-mêmes forêts, vignes, prairies et surtout labours céréaliers, à raison de trois ou quatre charrues par famille noble, soit 70 à 80 hectares ; ils y surveillent la récolte des grains et des grappes ; ils vendent leurs cocons, greffent les pommiers ; ou bien, solution qui n'est pas exclusive de la précédente, ils vivent de la rente foncière en écus ou céréales, expansive et gonflée depuis la fin des guerres religieuses. Ces fermages, et aussi « parts de fruits » leur sont versés, en provenance d'autres terres du bien familial, par des fermiers ou métayers, ceux-ci étant surveillés, dirigés, subventionnés de fort près par les gentilshommes-bailleurs. Des « produits du terroir » assez

Page précédente. Sagement rangés sur les étagères de la magnanerie, les vers à soie broutent la feuille du mûrier, l'arbre d'or (ainsi nommé à cause de l'étonnante couleur de son feuillage, en automne, et des rentabilités de son exploitation méridionale jusqu'au XIXe siècle). L'essor réel et substantiel de la sériciculture dans le Sud-Est français, au temps du premier Bourbon, s'inscrit dans la montée générale des productions de soie méditerranéenne, vers 1590 ; il coïncide aussi avec la propagande d'Olivier de Serres (1598), et les débordements mercantilistes de Laffemas ; celui-ci, véritable monomane du mûrier, veut tirer des diverses parties de cet arbre non seulement la « viande » pour le ver à soie, mais du drap, des paniers, du vinaigre, des bois de lits garantis sans vermine, de la nourriture pour les hommes ; et une décoction contre les brûlures d'estomac, les poux et le mal de dents. Laffemas pense même acclimater le ver à soie en Ile-de-France et Normandie. Ces rêveries donnent lieu à quelques bonnes affaires. En 1601, Olivier de Serres vend à Henri IV, pour le jardin des Tuileries, 20 000 plants de mûrier, tirés sans doute de ses pépinières languedociennes. Et le 3 décembre 1601, il passe marché avec des négociants parisiens, pour la fourniture de plants et semences de mûriers aux généralités de Paris et d'Orléans... Serres et Laffemas, méridionaux inventifs, croyaient-ils vraiment que vers à soie et mûriers pouvaient s'accommoder des brumes de la France du Nord, voire même « de la froidure du païs d'Allemagne » ? Leurs fictions mènent à un fiasco prévisible, aux frais des contribuables.

La véritable histoire séricicole, au XVIIe siècle, se fera donc brillante, mais sans tapage, au Midi, dans l'effective zone climatique de la soie.

Galle (d'après Stradan), gravure illustrant le Brief discours contenant la manière de nourrir les vers à soye, de J.-B. Le Tellier, 1602, Paris, Bibliothèque nationale.

LE SENS NATIONAL

este à prendre en compte la nation, ou plus précisément l'évolution du sentiment national. Deux coupes, deux bilans, l'un arrêté aux années 1460-1500, l'autre bloqué vers 1600-1610 rendent possible, sur ce point, une réflexion comparative, à distance d'un long siècle, dans le cadre exact de la chronologie du présent volume.

Pour les cercles cultivés, vers 1500, la France était d'abord une galerie d'ancêtres, Troyens et Gaulois tous ensemble, mêlés de quelque nostalgie franque. Ces vieux pseudo-Troyens bâtissent un mythe aussi erroné que coriace : ils servent à justifier un retour aux sources, et la croisade vers l'Orient (même confinée en Italie, comme dans le cas de Charles VIII, qui fut le dernier roi croisé). Ils servent aussi à propager le dédain pour les Anglais car ceux-ci ne prétendent pas, eux, chercher leurs origines à Troie, ni dans l'*Iliade*. De surcroît les mêmes Troyens, en style parfaitement arbitraire, sont tenus par les « bons » auteurs, pendant la première Renaissance pour d'anciens Gaulois ! De quoi conforter le concept d'un indigénat français, comme source de légitimation pour le royaume.

Une nation a besoin de héros fondateurs : Clovis perpétue ce rôle pour la France médiévale, puis pré-absolutiste. Le chef mérovingien, dans la vie réelle, était fourbe et barbare. Il reçoit néanmoins, à neuf ou dix siècles de distance, de la part d'une historiographie complaisante, les dons du courage chevaleresque et de la piété monacale. Une colombe lui a porté la sainte ampoule ; un ange (inventé plus tard) l'oriflamme et les lys. Roi saint et juste, on le montre aimable aux pauvres, se passant d'impôts et guérissant les écrouelles. Comme saint Étienne en Hongrie, Olaf en Norvège, il fait l'objet d'un culte, non reconnu par l'Église, mais officialisé par Louis XI. La célébration de ses rites s'occitanise à Moissac et à Tarascon, en fonction des nécessités d'une frontière, et du déplacement de la monarchie, dont le centre de gravité, au XVᵉ siècle, s'est fait de plus en plus méridional.

La religion royale, par le fait, est culte national ; elle ne saurait pourtant se contenter des douteuses vénérations, offertes à un Mérovingien sans scrupules. L'ascendance sacrée de la monarchie va chercher ses sources, de préférence, du côté de David qui fut le premier roi oint ; les Français, avec un peu de chance, peuvent même aspirer comme les Juifs (encore des ancêtres au gré de certains) au statut de peuple élu ou messianique. Lors du dernier siècle du Moyen Age, on s'habitue, au moins dans les classes supérieures et cultivées, à prier pour le roi qui devient ainsi un membre péri-

CHRONOLOGIE

1461 Mort de Charles VII. Louis XI devient roi de France.

1465 Révolte déclarée, contre Louis XI, de la ligue du Bien public ; elle est menée par les grandes maisons féodales du royaume.

Juillet 1465 A Montlhéry, bataille indécise entre les forces royales et les ligueurs du Bien public.

1467 Reprise de la guerre civile contre Louis XI à partir des trois duchés de Bretagne, Normandie et surtout Bourgogne.

Septembre 1468 Paix d'Ancenis entre France et Bretagne.

Octobre 1468 Louis XI est humilié à Péronne par Charles le Téméraire.

1472 Le concordat d'Amboise, comme on l'appellera, établit une commune hégémonie, royale et papale, sur l'Église de France.

1472 Échec de Charles le Téméraire devant Beauvais.

1472-1473 Mort des grands féodaux du Midi, Charles de Guyenne, frère du roi, et Jean d'Armagnac.

Juillet 1475 Edouard IV d'Angleterre, allié de Bourgogne, débarque à Calais.

Août 1475 Négociations réussies entre la France et l'Angleterre pour le départ des troupes britanniques.

Janvier 1477 Charles le Téméraire est tué à Nancy.

Août 1477 Marie de Bourgogne, fille du défunt Téméraire, épouse Maximilien d'Autriche malgré l'opposition de la France.

1477 Nemours, « pauvre Jacques », dernier des grands Armagnacs, est exécuté comme complice du connétable « félon » Saint-Pol.

1480 Mort de René d'Anjou, « le bon roi René », dont les domaines provençaux vont revenir à la France.

Août 1483 Mort de Louis XI. Son fils Charles VIII, âgé de treize ans, lui succède. Le pouvoir de fait appartient à la fille de Louis, Anne, et à son époux Pierre de Beaujeu, frère cadet du duc de Bourbon.

1484 Réunion à Tours des états généraux. Baisse nationale des prélèvements fiscaux. Discours « démocratique » de Philippe Pot.

1486-1488 Guerre folle. La Dame de Beaujeu, qui s'appellera plus tard Bourbon, s'oppose, au nom du gouvernement légitime, à la faction du duc d'Orléans, futur Louis XII, allié au duc François II de Bretagne.

Juillet 1488 Défaite militaire de Louis d'Orléans, et de ses alliés bretons.

Mai-juin 1491 Arrivée définitive de Charles VIII « aux affaires ».

Décembre 1491 Anne de Bretagne, non sans subir quelques contraintes, doit épouser Charles VIII, à l'encontre du rêve indépendantiste de ses sujets armoricains.

1492 Traité d'Étaples. La France achète à prix d'argent la non-intervention du souverain d'Angleterre sur le territoire septentrional du royaume.

1492 Christophe Colomb, pour le compte du roi d'Espagne, inaugure la « découverte de l'Amérique » (pour employer une expression qui ne vaut qu'a posteriori). La péninsule ibérique participe ainsi à la grande histoire, en contraste avec une France qui demeure plus provinciale.

1493 Pour apaiser l'Empire comme l'Espagne, et pour avoir les mains libres en Italie, Charles VIII restitue aux précédents propriétaires les conquêtes récentes qu'avait opérées Louis XI (Franche-Comté, Artois, Roussillon).

1494 En Italie, première expédition, menée par Charles VIII avec une armée de 40 000 hommes.

Septembre 1494 Débarquement français à Rapallo, soutenu par l'artillerie de marine.

1494 Le traité de Tordesillas, conclu entre l'Espagne et le Portugal, délimite les zones d'influence au Nouveau Monde.

Février 1495 Charles VIII est à Naples.

Mars-avril 1495 Une ligue hostile aux Français, regroupant Venise, le pape, Milan, l'Espagne et l'Empire, est préparée, signée, déclarée. Charles VIII doit quitter la péninsule, après avoir défait ses adversaires à Fornoue.

7 avril 1498 Mort accidentelle de Charles VIII, sans héritier direct. Son oncle Louis XII (duc d'Orléans) lui succède, qui fut l'enfant tardif du poète Charles d'Orléans et de Marie de Clèves.

Décembre 1498 Louis XII peut enfin répudier Jeanne de France (fille de Louis XI) pour épouser Anne de Bretagne (1499).

1498 Louis XII organise définitivement le Grand Conseil, sorte de tribunal d'appel, d'évocation ou de cassation, établi à l'échelle nationale.

Septembre 1499 L'armée royale (28 000 hommes, dont 5 000 mercenaires) s'empare une première fois de Milan, dont Louis XII revendiquait le duché, en tant que petit-fils de Valentine Visconti.

Avril 1500 Ludovic Sforza, qui avait récupéré en mars sa cité de Milan, est fait prisonnier par l'armée royale, avec la complicité des Suisses : la capitale lombarde tombe de nouveau en main française.

1501-1509 Les « hérétiques » vaudois de Provence sont défendus, soutenus par Louis XII contre les autorités religieuses et papales. C'est l'indice d'une tendance monarchique à « l'ouverture », sinon à l'authentique esprit tolérant.

1501 Les Français s'emparent du royaume de Naples, avec l'aide des troupes espagnoles, que dirige Gonzalve de Cordoue, el gran Capitan.

1503 Gonzalve de Cordoue expulse l'armée française hors de l'Italie méridionale, à la suite de quelques batailles (Cerignole, Garigliano).

1504 Aux termes de l'étonnant traité de Blois (qui ne sera point appliqué), le futur Charles Quint et Claude de France (fille de Louis XII) qu'on envisage d'unir en mariage, recevront pour la circonstance le Blésois, la Bourgogne, la Bretagne...

1506 Les « états de Tours » (en fait une assemblée de notables), suggèrent à Louis XII, qui ne demande pas mieux, la solution franco-française : on fera s'épouser Claude de France avec François d'Angoulême. Ainsi est annulé l'encombrant traité de Blois.

1510 Le pape Jules II regroupe contre la France une ligue où se rencontrent les Suisses, les Aragonais, Venise, et même l'Angleterre.

1511 Jean Lemaire de Belges, dévoué à Louis XII, publie à Lyon une Prééminence de l'Église gallicane, offensante pour le Vatican.

Avril 1512 A Ravenne, les Royaux gagnent la bataille, et perdent la guerre. La présence française s'effondre en Italie du Nord.

1512 Ouverture du concile de Latran, dont les thèses résolument pro-papales vont faire échec ipso facto, du moins en principe, au gallicanisme.

1513 Retour en force de l'armée du roi Valois en Italie. Elle est battue à Novare par les Helvètes ; l'échec militaire de la France au-delà des Alpes semble répétitif.

Août 1513 Henri VIII d'Angleterre, débarqué à Calais, ridiculise les « foudres d'escampette » de l'armée française au combat de Guinegatte.

1er janvier 1515 Mort de Louis XII, sans progéniture mâle. Lui succède, sur le trône, François Ier, descendant de Charles V, neveu par alliance de Louis XI, et gendre du roi défunt.

Juillet 1515 L'armée royale, forte de 40 000 hommes et d'une puissante artillerie, défait les Suisses à Marignan. François Ier, triomphal, entre dans Milan.

1516 En vertu du concordat de Bologne, les évêques échappent désormais à l'élection par les chanoines et « chapitres » diocésains ; il reviendra désormais au roi de nommer les prélats, et au pape de les instituer.

1516 Signature à Fribourg d'une paix perpétuelle avec l'ex-ennemi helvétique, qui dorénavant fournira la France en mercenaires... jusqu'à la fin du règne de Louis XVI.

1516 Le grand humaniste Érasme, d'origine néerlandaise, rédige pour le futur Charles Quint une Institution du prince chrétien.

Juin 1519 Le petit-fils de feu l'empereur Maximilien est élu empereur par les grands électeurs germaniques sous le nom de Charles V (« Charles Quint »). François Ier, qui espérait emporter cette élection pour son propre compte, doit s'incliner.

1519 Arrivent à Paris, l'imprimerie aidant, les premières brochures de Luther, ficelées par colis de centaines d'exemplaires.

1521 En novembre, Lautrec, chef militaire français et frère d'une bonne amie de François Ier, est expulsé de Milan par les troupes impériales, que soutiennent les citadins locaux.

1522 L'émission des premières « rentes sur l'hôtel de ville » à Paris marque les progrès encore modestes du « crédit public », en France.

1523 Première condamnation en France, de « l'hérésie » luthérienne.

1523 « Trahison » du connétable de Bourbon. L'échec des tentatives de ce grand seigneur marque la décadence d'un certain « féodalisme » de guerre civile, lequel ne retrouvera vigueur après 1560 qu'en se parant des prestiges de la religion protestante, ou catholique.

1524 Le Florentin Verazzano, mandaté par François Ier, longe et cartographie les côtes atlantiques de l'Amérique du Nord.

1525 François Ier qui a passé de nouveau les Alpes est battu et fait prisonnier à Pavie. Il ne sortira de sa geôle espagnole en 1526 qu'au prix d'un humiliant accord dont il est décidé, du reste, à ne pas respecter les clauses.

1528 Le centre du pouvoir royal se déplace du val de Loire (qui n'est point abandonné pour autant) vers la région parisienne.

Avril 1529 Grande Rebeyne (émeute de subsistances) à Lyon contre la vie chère et le pain rare.

Août 1529 Aux termes de la paix des Dames, conclue grâce aux bons offices de la mère de François Ier et de la tante de l'empereur, le Valois renonce, encore une fois (mais momentanément...), à ses ambitions italiennes, décidément malheureuses.

1530 La confession d'Augsbourg, qui résume, à l'intention de Charles Quint, les articles de la foi luthérienne, est récusée par les théologiens catholiques.

1531 Fondation de *l'aumône générale* de Lyon, institution charitable, subventionnée et gérée par les marchands locaux : elle doit fournir aux pauvres, aux enfants malheureux, aux assistés, le pain et le travail.

Septembre 1531 Mort de Louise de Savoie (mère de François Ier), dont les vastes possessions, dans la France du Centre, vont être absorbées dans le domaine royal.

1532 L'édit d'union, publié à Nantes après négociation avec les états provinciaux, consacre l'intégration de la Bretagne au royaume, commencée dès 1491 lors du mariage de la duchesse Anne avec Charles VIII.

Octobre 1533 Catherine de Médicis, princesse florentine, nièce du pape Clément VII, épouse Henri, duc d'Orléans, fils de François Ier, qui règnera sous le nom d'Henri II. Cette union scelle un rapprochement précaire entre la Cour de France et le Vatican.

Octobre 1534 L'affaire des placards affichés à Paris, et très hostiles à la messe comme au dogme de la présence réelle du Christ dans l'Eucharistie, va mettre fin, non sans hésitations, à la période de coexistence relativement pacifique entre l'humanisme (royal) et la Réforme (protestante).

1534-1536 Le Malouin Jacques Cartier, « commissionné » par François Ier, explore les côtes de Terre-Neuve et l'aval du fleuve Saint-Laurent, au Canada.

1534 Ignace de Loyola forme à Paris, avec quelques disciples, le noyau de ce qui deviendra la Compagnie de Jésus, autrement dit l'ordre des Jésuites.

1535 La mort de Francesco Sforza, duc de Milan, ranime en François Ier l'espérance italienne.

1536 Le roi de France envahit la Savoie et provoque de la sorte, par contrecoup, l'irruption de Charles Quint en Provence.

Juillet 1538 Aimable entrevue au sommet entre François Ier et Charles Quint, à Aigues-Mortes. Le gouvernement français, sous la direction de Montmorency, va s'efforcer ensuite de faire respecter « l'esprit d'Aigues-Mortes ».

Avril 1539 Grève des compagnons imprimeurs à Lyon.

Août 1539 Promulgation de l'ordonnance de Villers-Cotterêts ; en principe, elle rend obligatoire l'usage de la langue « maternelle française » au lieu du latin dans les actes publics ; obligatoires aussi les registres paroissiaux des baptêmes, mariages, sépultures. L'application réelle de ce texte est loin d'intervenir immédiatement.

Juillet 1542 François Ier déclare la guerre à l'empereur, puis lance une double offensive sur les fronts septentrionaux et méridionaux.

Décembre 1542 Par l'édit de Cognac, seize recettes générales voient le jour ; elles sont, fiscalement, les matrices des généralités régionales où s'illustreront plus tard les intendants provinciaux.

Avril 1545 Massacre (par centaines, ou par milliers ?) des « hérétiques » vaudois en Provence.

Décembre 1545 Ouverture du concile de Trente : il donnera à l'Église romaine son style caractéristique qui durera pratiquement jusqu'au concile de Vatican II, réuni quatre siècles plus tard.

Mars 1547 Mort de François Ier, dont le corps sera inhumé en mai à l'abbaye de Saint-Denis ; son fils Henri II lui succède.

1548 Soulèvement populaire contre la gabelle en Aquitaine. Montmorency le réprime vivement. Mais les révoltés l'emportent *de facto* : les provinces rebelles demeureront exemptes de l'impôt du sel jusqu'à la fin de l'Ancien Régime.

1550 Les Anglais, contraints et forcés, restituent Boulogne à la France. Du coup, la ville de Rouen est choisie comme site pour une entrée triomphale d'Henri II.

1552 Fort d'une alliance avec les princes protestants du monde germanique, Henri II (par ailleurs si anti-huguenot en France même) entreprend, avec une grosse armée, le « voyage d'Allemagne ». Metz est occupé, puis conservé par François de Guise, malgré la puissante contre-offensive d'un Charles Quint vieillissant.

1552 Charles Estienne, qui fut médecin puis imprimeur, publie le *Guide des chemins de France*.

1555 Élection du pape Paul V, quasi octogénaire. Hostile à l'Empire et à l'Espagne, il va vainement tenter, avec le soutien français, de délivrer du joug castillan sa bonne ville de Naples.

Février 1556 La trêve de Vaucelles marque l'apogée militaire, puis brièvement pacifique, d'Henri II. Metz, Corse, Savoie, Piémont sont reconnus, parfois pour peu de temps, comme appendices territoriaux du royaume.

Septembre 1556 L'Espagne envahit les États du pape. La France, en la personne de François de Guise, va voler au secours de Sa Sainteté, enlisant ainsi une fois de plus la fine fleur de l'armée royale dans les profondeurs de la « botte ».

Août 1557 Montmorency est battu par l'Espagne à Saint-Quentin. Henri II sort de là étrillé, mais point anéanti. Guise rentre dare-dare de la péninsule ; en 1558, il reprend Calais à l'Angleterre.

Septembre 1557 Dans la foulée de l'édit royal de Compiègne (juillet 1557) qui en principe punit de mort l'hérésie, une émeute anti-huguenote, à Paris, aboutit ultérieurement à l'incarcération puis à l'exécution de six dames nobles, pour cause de protestantisme.

Mai 1558 Pendant quatre soirées consécutives, des milliers de protestants, conduits par le roi de Navarre, chantent leurs psaumes au Pré-aux-clercs, non loin du Louvre et des Tuileries.

Avril 1559 Le traité du Cateau-Cambrésis est signé avec l'Espagne. L'aventure italienne, comme telle, est terminée. La France se dessaisit de Savoie, Corse, et Piémont. Le conflit entre Valois et Habsbourg est renvoyé aux calendes grecques. Le rapprochement avec l'intégrisme du royaume madrilène s'opère aux dépens de la huguenoterie française, que frappera dorénavant la répression (qui fera boomerang).

Juillet 1559 Henri II est mortellement blessé dans un tournoi. Cet événement fortuit marque, quant à la France, le passage du « beau XVIe siècle » à la difficile et sanglante période des guerres de Religion. Le jeune François II succède au roi défunt : les Guise, oncles par alliance du nouveau monarque, donnent dans l'antiprotestantisme obsessionnel.

1559-1561 Jean Nicot est ambassadeur de France au Portugal, pays dont il rapportera en « métropole » l'usage du tabac.

Décembre 1560 Mort de François II. Catherine de Médicis, veuve d'Henri II, gouvernante de France, exerce le pouvoir réel au nom de son fils Charles IX, âgé de dix ans et frère du défunt. Contre les Guise, elle préconise (avec un succès mitigé) une certaine tolérance religieuse.

Décembre 1560-janvier 1561 Réunion des états généraux d'Orléans. A l'encontre du clergé guisard, la reine-mère, le chancelier de L'Hospital, la noblesse et le tiers état se montrent ouverts à une coexistence effective avec « l'hérésie ».

Septembre-octobre 1561 Au colloque de Poissy, s'instaure une tentative de dialogue entre théologiens protestants et cardinaux catholiques. Tout achoppe sur le problème de la présence réelle du Christ dans l'Eucharistie.

Mars 1562 L'étonnant replâtrage en vertu duquel les ultra-catholiques (Guise), les modérés (L'Hospital) et les protestants (Coligny) cohabitent au Conseil d'en haut de la régente ne résiste point au massacre de Wassy (mars 1562), espèce de pogrom antiprotestant mené par les soldats du duc de Guise, en sa présence et sur ses propres terres.

Mars 1563 Les succès militaires des catholiques mais aussi la mort violente ou la captivité des Triumvirs intégristes (Guise, Montmorency, Saint-André) permettent le rétablissement provisoire de la paix religieuse (édit d'Amboise, mars 1563). Les chefs protestants viennent reprendre leur place au Conseil d'en haut à côté des deux factions catholiques, la dure et la douce.

Janvier 1564 Début du « tour de France » de vingt-sept mois, au cours duquel Catherine présente le royaume à son fils Charles IX et réciproquement. On est encore (politiquement) en situation pré-copernicienne, c'est le Soleil (royal) qui tourne autour de la Terre (nationale). Beaucoup plus tard, sous Louis XIV mûrissant, les choses changeront...

1564 La reine mère « coupe l'omelette aux deux bouts ». Elle éloigne du Conseil d'en haut les Guise intégristes, et les Châtillon-Coligny, huguenots. Mais où est la force du centre ?

Automne 1567 Les protestants, inquiets des menaces que constituent à leur égard les troupes espagnoles et royales, relancent la guerre civile jusqu'en 1568. Pour la première fois aussi, ils émettent le vœu d'une monarchie contrôlée par les états généraux. Revendication « para-démocratique » qui sera d'immense portée pour le décennie ultérieure, et même pour les siècles suivants.

Août 1568-août 1570 Troisième guerre de Religion. Longue marche de Coligny par la Garonne, le Languedoc, l'axe Rhône-Saône. Le croissant de lune huguenot, de La Rochelle à Genève en passant par Montpellier, prend forme définitive. Il est stratégiquement isolé, coupé par le néo-catholicisme du bassin Parisien, des grandes masses septentrionales du protestantisme d'Europe (Allemagne, Pays-Bas, Angleterre...).

Août 1570 La « paix boiteuse et mal assise » de Saint-Germain remet les horloges à l'heure habituelle d'un compromis récurrent : liberté de conscience (théorique) dans le royaume ; places de culte et places de sûreté pour les huguenots ; relative égalité des droits entre confessions rivales. L'élite gouvernementale est de ce fait réunifiée cahin-caha ; Coligny va pouvoir s'y loger derechef, et brièvement.

et Ernest Labrousse) : Pierre Chaunu et Richard Gascon, vol. I, *L'État et la ville*, Paris, P.U.F., 1976, p. 425.
2. Pierre Chaunu et Richard Gascon, *op. cit.*, p. 348.
3. *Histoire de la France urbaine* (sous la dir. de Georges Duby) : Roger Chartier, Guy Chaussinand-Nogaret et Hugues Neveux, t. III : *La Ville classique. De la Renaissance aux Révolutions*, Paris, Le Seuil, 1981.
4. *Ibid.*
5. *Ibid.*
6. *Ibid.*
7. *Ibid.*, p. 244.
8. Françoise Bayard (« Finances et financiers en France dans la première moitié du XVIIe siècle », *Bulletin d'histoire économique et sociale de la région lyonnaise*, n° 1, 1985, pp. 49-56) nous fournit la substance et souvent les termes mêmes de ce paragraphe.
9. *Ibid.*
10. *Ibid.* ; Daniel Dessert, *Argent, pouvoir et société au Grand Siècle, op. cit.*
11. Voir à ce propos la thèse à paraître de Françoise Bayard.
12. Chiffre hypothétique, et peut-être fort inférieur à la réalité ; les travaux, à paraître, de MM. Descimon et Nagle permettront d'y voir clair.
13. Brigitte Basdevant-Gaudemet, *Charles Loyseau, 1564-1627, théoricien de la puissance publique*, Paris, Economica, 1977.

Chapitre 14

1. Colette Beaune, *Naissance de la nation France, op. cit.*
2. On trouvera dans l'ouvrage de Colette Beaune, pour nous fondamental en ce chapitre, les références aux utilisations initiales d'expressions devenues aujourd'hui familières, comme « Mourir pour la France », « Vive la France » etc.
3. Colette Beaune, *op. cit.*
4. Eugen Weber, *La Fin des terroirs*, Paris, Fayard, 1984.
5. Brigitte Basdevant-Gaudemet, *Charles Loyseau, 1564-1627, théoricien de la puissance publique, op. cit.*, p. 233.
6. Sébastien Mercier, au XVIIIe siècle. La référence que donnait à son propos, dès 1911, l'historien Funck-Brentano (*L'Ancienne France, le roi*, Paris, 1912, p. 187), est malheureusement imprécise.
7. D'après M. Yardeni, p. 77, « Une foi, une loi, un roi » : nous avons modifié dans notre texte l'ordre des mots pour faciliter la comparaison avec l'épître de Paul. Voir, sur tout ceci, l'important ouvrage de Myriam Yardeni, *La Conscience nationale en France pendant les guerres de Religion 1559-1598, op. cit.*, p. 77.
8. *Ibid.*, p. 329.

Le présent ouvrage se situe dans le prolongement des contributions antérieures, que l'auteur de ces lignes a données à l'*Histoire économique et sociale de la France*, dirigée par Fernand Braudel et Ernest Labrousse (P.U.F.), à l'*Histoire de la France rurale*, dirigée par Georges Duby et Armand Wallon (Le Seuil), et enfin à l'*Histoire de la France urbaine*, dirigée par Georges Duby (Le Seuil). L'auteur tient aussi à exprimer la haute estime qu'il porte aux historiens, producteurs d'un certain nombre de biographies récentes, consacrées aux rois de France et à quelques personnages importants : parmi celles-ci mentionnons, liste non limitative, aux éditions Fayard, le *Charles VIII* de Yvonne Labande-Mailfert, le *Louis XII* de Bernard Quilliet, le *Henri II* d'Ivan Cloulas, le *Henri III* de Pierre Chevallier, le *Henri IV* de Jean-Pierre Babelon ; les ouvrages en langues étrangères sont également essentiels ; parmi ceux-ci, nous nous bornerons à signaler, dans cette note qui n'a rien d'exhaustif, le *François Ier* de R.J. Knecht, et les *Secretaries of State* de N. Sutherland.

CRÉDIT PHOTO

14. Coll. part. / Ph. J.-L. Charmet.
15. Paris, Bibl. nat. / Ph. Edimédia.
16. Amiens, Musée de Picardie / Ph. Lauros-Giraudon.
40. Fontainebleau, Musée national du château / Ph. G. Dagli Orti.
41. Paris, Musée du Louvre / Ph. H. Josse.
44. Paris, B.H.V.P. / Ph. J.-L. Charmet.
49. Rouen, Bibliothèque municipale / Ph. G. Dagli Orti.
52 et 53. Beauvais, Musée départemental de l'Oise / Ph. H. Josse.
56 et 57. Fontainebleau, Musée national du château / Ph. H. Josse.
60 et 61. Beauvais, Musée départemental de l'Oise / Ph. H. Josse.
68. Aix-en-Provence, Cathédrale Saint-Sauveur / Ph. G. Dagli Orti.
69. Dijon, Musée des Beaux-Arts / Ph. H. Josse.
72. Nantes, Musée Dobrée / Ph. Giraudon.
77 hd. Paris, Bibl. nat. / Ph. H. Josse.
77 mg. Paris, Bibl. nat. / Ph. Edimédia.
77 bd. Paris, Bibl. nat. / Ph. Edimédia.
80. Paris, Bibl. nat. / Arch. CLAM.
81. Paris, Bibl. nat. / Ph. Edimédia.
84. Paris, Bibl. nat. / Ph. Edimédia.
85. Paris, Bibl. nat. / Ph. Edimédia.
93 hg. Paris, Bibl. nat. / Arch. Hachette.
93 bg. Paris, Bibl. nat. / Ph. Bibl. nat.
93 d. Paris, Archives nationales / Ph. Lauros-Giraudon.
97 h. Versailles, Musée national du château / Ph. G. Dagli Orti.
97 b. Liège, Cathédrale Saint-Lambert / Ph. P. Hinous-CdA-Edimédia.
100. Moulins, Cathédrale Notre-Dame / Ph. Lauros-Giraudon.
104. Paris, Archives nationales / Ph. des Archives.
108 et 109. Lyon, Musée des Beaux-Arts / Arch. CLAM.
113 hd. Genève, coll. part. / Ph. Lauros-Giraudon.
113 hg. Paris, Musée du Louvre / Ph. H. Josse.
113 b. Saint-Denis, Basilique / Ph. Lauros-Giraudon.
125. Paris, Bibl. nat. / Ph. Edimédia.
128 hg. Paris, B.H.V.P. / Ph. J.-L. Charmet.
128 md. Paris, Bibl. nat. / Ph. Edimédia.
128 bg. Paris, B.H.V.P. / Ph. J.-L. Charmet.
129. Paris, Bibl. de l'Arsenal / Ph. Edimédia.
132. Paris, Bibl. nat. / Ph. Edimédia.
133. Paris, Bibl. nat. / Ph. Edimédia.
136. Caprarola, Villa Farnèse / Ph. G. Dagli Orti.
141. Paris, Bibl. nat. / Ph. Edimédia.

145 bd. Paris, Musée du Louvre / Ph. H. Josse.
145 mg. Versailles, Musée national du château / Ph. H. Josse.
145 hd. Chantilly, Musée Condé / Ph. H. Josse.
148. Fontainebleau, Musée national du château / Ph. G. Dagli Orti.
149. Paris, Musée du Louvre / Ph. Giraudon.
152 g. Chantilly, Musée Condé / Ph. Lauros-Giraudon.
152 d. Paris, Bibl. de l'Arsenal / Ph. Edimédia.
157. Amiens, Musée de Picardie / Ph. Lauros-Giraudon.
161. Versailles, Musée national du château / Ph. H. Josse.
165 hg. Chantilly, Musée Condé / Ph. H. Josse.
165 hd. Coll. Part. / Ph. H. Josse.
165 b. Versailles, Musée national du château / Ph. H. Josse.
169. Écouen, Musée de la Renaissance / Ph. G. Dagli Orti.
173 g. Rouen, Bibl. municipale / Ph. G. Dagli Orti.
173 d. Rouen, Bibl. municipale / Ph. H. Josse.
176. Lyon, Archives municipales / Ph. des Archives-Arch. CLAM.
177. Paris, Bibl. de l'Arsenal / Ph. Giraudon.
181. Paris, Bibl. nat. / Ph. Edimédia.
184. Genève, Bibl. publique et universitaire / Ph. G. Dagli Orti.
188. Beauvais, Musée départemental de l'Oise / Ph. H. Josse.
191. Lyon, Archives municipales / Ph. des Archives-Arch. CLAM.
193. Paris, Musée du Louvre / Ph. H. Josse.
197. Genève, Bibl. publique et universitaire / Ph. G. Dagli Orti.
201 hg. Paris, Bibl. nat. / Ph. H. Josse.
201 bg. Paris, Musée du Louvre / Ph. H. Josse.
201 d. Chantilly, Musée Condé / Ph. J.-L. Charmet.
205. Coll. part. / Ph. Edimédia.
208. Beauvais, Musée départemental de l'Oise / Ph. H. Josse.
213. Genève, Bibl. publique et universitaire / Ph. G. Dagli Orti.
217 hg. Versailles, Musée national du château / Ph. H. Josse.
217 hd. Paris, Musée du Louvre / Ph. H. Josse.
217 b. Versailles, Musée national du château / Ph. H. Josse.
220. Lausanne, Musée cantonal des Beaux-Arts / Ph. du musée-Arch. CLAM.
224 hg. Genève, Bibl. publique et universitaire / Ph. G. Dagli Orti.
224 bg. Paris, Musée du Louvre / Ph. H. Josse.
225. Lyon, Musée historique / Ph. G. Dagli Orti.
229 g. Rouen, Musée départemental des Antiquités de la Seine-Maritime / Ph. G. Dagli Orti.
229 d. Écouen, Musée de la Renaissance / Ph. G. Dagli Orti.
233. Paris, Bibl. nat. / Ph. H. Josse.
237. Tanlay, château / Ph. Lauros-Giraudon.
240 et 241. Coll. part. / Ph. L. Joubert.
245 g. Blois, Musée du château / Ph. G. Dagli Orti.
245 hd. Rouen, Musée des Beaux-Arts / Ph. G. Dagli Orti.
245 bd. Venise, Palais des Doges / Ph. G. Dagli Orti.
246. Paris, Bibl. nat. / Ph. J.-L. Charmet.

256. Paris, Bibl. nat. / Ph. Edimédia.
257 h. Paris, Bibl. nat. / Ph. J.-L. Charmet-Arch. CLAM.
257 bg. Paris, Bibl. nat. / Ph. Edimédia.
257 bd. Paris, Bibl. nat. / Ph. J.-L. Charmet-Arch. CLAM.
261. Paris, Bibl. nat. / Ph. Edimédia.
262. Paris, Bibl. nat. / Ph. Edimédia.
264. Paris, Bibl. nat. / Ph. Edimédia.
269. Paris, Bibl. nat. / Ph. Edimédia.
273. Paris, Bibl. nat. / Ph. Edimédia.
280. Paris, Musée du Louvre / Ph. H. Josse.
284 h. Rennes, Musée des Beaux-Arts / Ph. Giraudon.
284 b. Paris, Musée du Louvre / Ph. Giraudon.
285. Munich, Alte Pinakothek / Ph. H. Josse.
293 h. Paris, Bibl. nat. / Arch. Hachette.
293 b. Pau, Musée national du château / Ph. du musée.
299. Paris, Bibl. nat. / Ph. Edimédia.
301. Écouen, Musée de la Renaissance / Ph. G. Dagli Orti.
304. Valenciennes, Musée des Beaux-Arts / Ph. Garrigou-Arch. CLAM.
309. Paris, Bibl. des Arts Décoratifs / Ph. G. Dagli Orti.
313. Paris, Bibl. nat. / Ph. Edimédia.
317. Chantilly, Musée Condé / Ph. H. Josse.
318 et 319. Paris, Bibl. nat. / Ph. Edimédia.
321. Paris, Musée du Louvre / Ph. H. Josse.
322 et 323. Paris, coll. part. / Ph. G. Dagli Orti.
324. Orléans, Musée des Beaux-Arts / Ph. J.-L. Charmet.
336 et 337. Paris, Bibl. nat. / Arch. CLAM.
340. Pau, Musée national du château / Ph. du musée.

SOMMAIRE

Achevé d'imprimer par OBERTHUR Graphique à Rennes en mars 1996
N° d'éditeur 96043/3899 - Dépôt légal 4736 avril 96
23-64-3852-07 - ISBN 2.01.009461.1
Imprimé en France

23-3852-3